Elizabeth Bowen

Friends and Relations

ボウエン・コレクション2

親戚

・ボウエン

子訳

国書刊行会

友達と親戚◉目次

第一部　エドワードとロドニー

第二部　快晴の一週間

ント・パーク
大英博物館
オクスフォード・ストリート
ソーホー
リージェントSt.
ピカデリー・
サーカス
トラファルガー
広場
チャリング・
クロス駅
ペルメル
ホワイトホール
セント・ジェイムズ
セント・ジェイムズ・パーク
ウォータールー駅
バッキンガム
宮殿
ビッグ・ベン
バッキンガム・
ゲイト
ウェストミンスター
寺院
ウェストミンスター
大聖堂
ヴィクトリア駅
バッキンガム・パレス・ロード
イーベリー・ストリート
ウエストミンスター
テムズ川

マリルボン駅
パディントン駅
ベイズ・ウォーター・ロード
ハイド・パーク
ケンジントン・ガーデンズ
ナイツブリッジ
ケンジントン
トレヴァー・
スクウェア
ブロムプトン・ロード
ハロッズ
スローン・ストリート
ヴィクトリア＆
アルバート
博物館
自然史
博物館
グロスター・ロード
クロムウェル・ロード
スローン・
スクウェア
ロイヤル・
アヴェニュー
キングズ・ロード
チェルシー

ロンドン地図

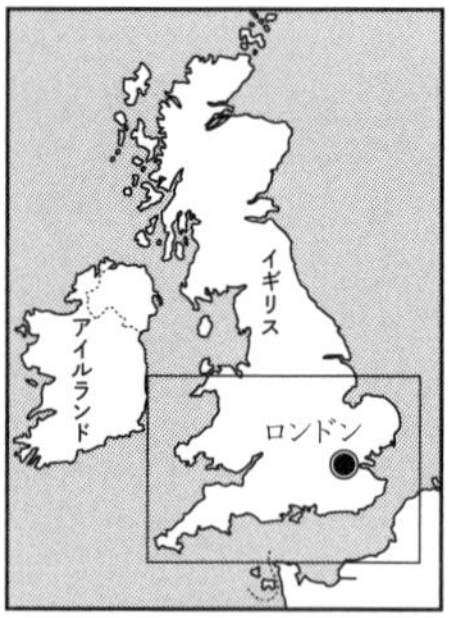
イギリス
アイルランド
ロンドン

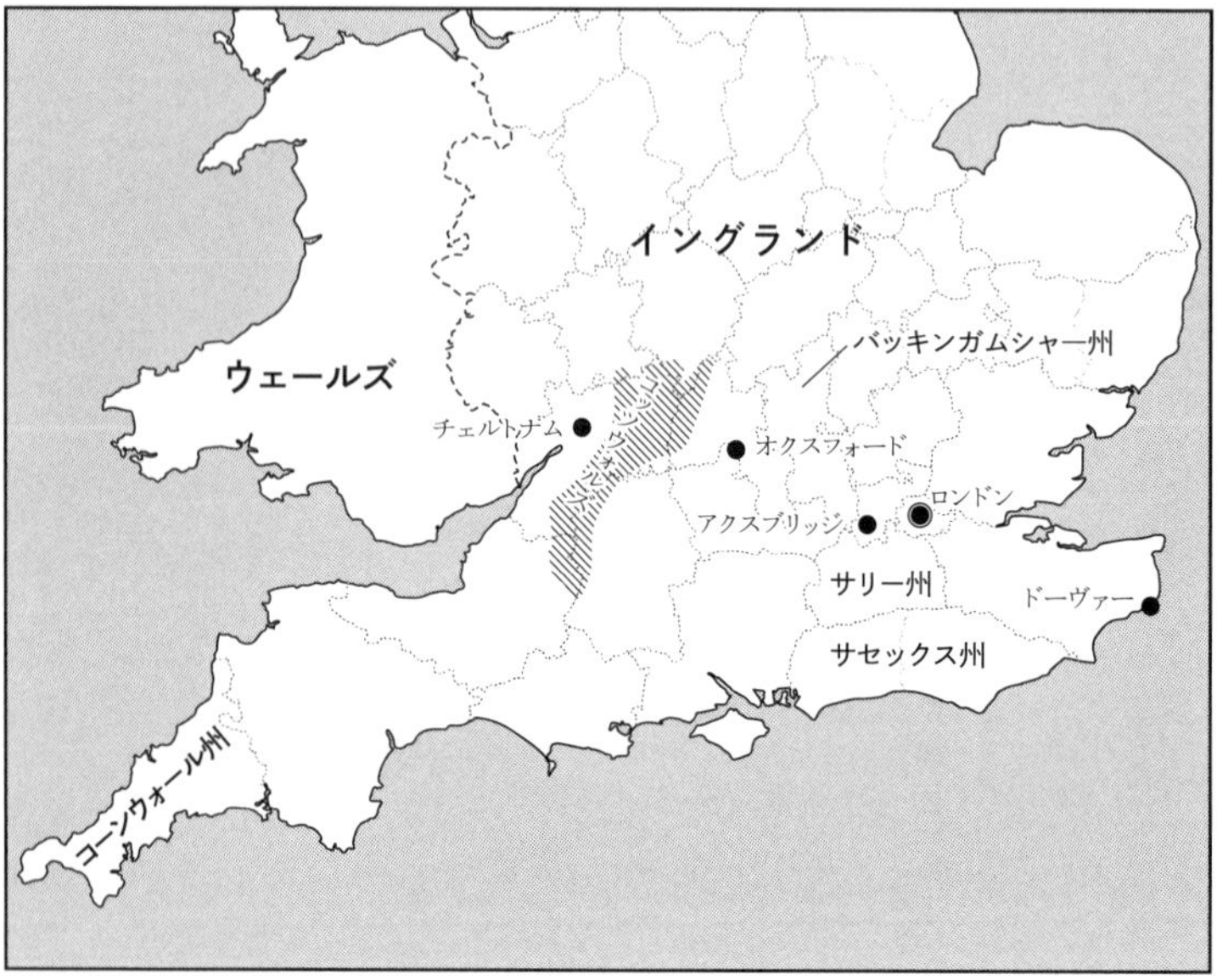
イングランド
ウェールズ
バッキンガムシャー州
チェルトナム
コッツウォルズ
オクスフォード
ロンドン
アクスブリッジ
サリー州
ドーヴァー
サセックス州
コーンウォール州

イギリス地図

【主な登場人物】

◎スタダート家（チェルトナムにあるコランナ・ロッジが私邸）

当主　スタダート大佐　退役軍人。

妻　ミセス・ガートルード・スタダート　専業主婦。

長女　ローレル・スタダート　二十二歳でエドワード・ティルニーと結婚。長女アナ、長男サイモン。

次女　ジャネット・スタダート　二十歳でロドニー・メガットと結婚。長女ハーマイオニ。

◎ティルニー家（ロンドンのロイヤル・アヴェニューにタウンハウス、スコットランドその他にカントリーハウス）

当主　ミスタ・ティルニー　すでに他界。

妻　レディ・エルフリーダ・ティルニー　ミスタ・ティルニーと二十歳で結婚、長男エドワード誕生。不倫問題で離婚。第一次大戦後ロンドンのトレヴァー・スクウェアに居住。

長男　エドワード・ティルニー　英国官庁（ホワイトホール）勤務。五歳の時に両親離婚。父親は間もなく死去。第一次大戦でフランス駐留中に終戦。

シンプソンとシルヴィア　ティルニー家の料理人とメイド。

◎メガット家（荘園屋敷バッツ・アビーを所有）

当主　コンシダイン・メガット　独身。猛獣狩りなどで新聞・雑誌を賑わす。レディ・エルフリーダの不倫相手。

ロドニー・メガット　コンシダイン・メガットの甥。ロンドンで秘書職。コンシダインの後継者としてバッツ・アビー相続。

◎サードマン家（スタダート家のいとこ一家。スイスからイギリスに帰国。ロンドンのグロスター・ロードに居住）

当主　アレックス・サードマン　職業不明。長男、戦死。

妻　ウィラ・サードマン　専業主婦。

長女　シオドラ・サードマン　十五歳、三か国語に堪能。

＊

ルイス・ギブソン　エドワード・ティルニーの親友。エドワードの結婚式ではベスト・マン。

マリーズ・ギブソン　ルイスの妹。女学校でシオドラ・サードマンと同級。

友達と親戚

Elizabeth Bowen
Friends and Relations, 1931

Bへ

第一部　エドワードとロドニー

1

ティルニー‐スタダート両家の結婚式の朝は、夜明け前からの雨が降りやまず、木々と庭園にベールをかけ、幸せな前兆として最初の太陽を受けるはずだった大テント《マーキー》の帆布を暗くしていた。花嫁の親戚は眠りながらも顔をしかめ、屋根と窓枠に不運な宿命をつぶやくような雨音で目を覚ました。雲が補強されてマルヴァン丘陵の上に折り重なってきた。遅い時間になっても、コランナ・ロッジの部屋はみな薄暗く、朝が来るのが遅れているみたいだった。

ローレル・スタダード自身は天候とは関係がなく、窓をちらりと見ることもなかった。彼女とスタダート大佐は、二人して手持無沙汰で居所がなく、部屋から部屋へとうろついては、午前中に何度も鉢合わせして、双方ともに雲隠れしたかった。ローレルの父のスタダート大佐は娘のために午後に心積もりがしてあった——まだ娘を引き渡していない——結婚式の前の数時間は馴染みの駅のプラットフォームで長く待ち過ぎたみたいで、もう人が発ってしまったプラットフォームという連想には疲れるものがある。衣類はすべて荷造りが済んでいた。ジャネットの古いブレザーを着て、上までボタンを留めたローレルは、今日の花嫁には見えなかった。十時半から正午まで、彼女とスタダート大佐は朝の間に閉じこもり、トランプ・ゲームで悪魔のペイシェンス[*1]をした。彼女のここでの人生は終わり、大佐の人生は停止状態に。二人にはもうすることがなかった。朝の間の花々は「活《い》けられて」いた。フリージアが暖炉の周囲を飾っている。スタダート大佐は、苛立ちと花粉症の初期のせいか、何度もくしゃみをした。かがんで百合の花に興奮気味に寄せていたローレルの頬に、花粉がパッと襲いかかった。

　ランチの前に雨が止んだ。そのあと、式の最中に、雲を大きく分けて太陽が出てきた。だからローレルの結婚式で教会の中央通路《アイル》を進む行進は、連なる窓から入る金色に彩られた。背後で鳴り響く疾風のようなオルガン演奏に背中を押され、会堂の外の張り出しポーチに出た彼女が不安そうに微笑すると、誰もが傘を一斉に下ろした。墓石がみな光っている。その日は早仕舞いの日で、チェルトナム[*2]の店から来た友達が見物人に交じっている。甘やかな愛らしい花嫁は軽やかにベールをなびかせ、言われるがままの受け身に徹した運転士がいる車のほうに、微笑んで、うなずいて見せた。

　式が終わると、午後は確実に明るくなっていった。両サイドが開くテントは、結局、大失敗ではなかったことが証明された。ローレルとエドワードは、ミセス・スタダートの指示に黙って従い、朝の間の指定された位置についた。トランプのカードが、うっかりしたのか、カーペットの上に裏を向いて散らばっていた。エドワードがかがんで手を伸ばした――「やめて！」とローレルは叫んだ。「放っておいて！」彼女は心臓が飛び出しそうになった。拾わないほうがいい――。まだ二人きりだと知って、彼は彼女に急いでキスした、熱烈に冷静に。時間はあったが、その時しかなかった。それからローレルは一本にたまってしまったベールをほぐして整えた。そうする花嫁を見たことがあったのだ。ミセス・スタダートがすぐ入ってきて、もう一度ベールを整えた。

「百合の花を手に持ったほうがいいわ」ミセス・スタダートが言った。玄関ホールのテーブルの上に百合の花束が置かれた場所は、本来トップハット用に特別に空けてあるのを知ったからだった。

「あら、お母さま、私には持てないわ、重たくて」

「でも、素敵だと思わない、エドワード、彼女が百合の花を持っていると？」

「僕にはわかりませんが」エドワードが言った。「ふつうはそうするんですか？」

「ずっと持っていると、腕が痛くなっちゃう。だって、持つ手を替えられないもの、右手は握手するために空けておかないと」

「握手はそっとするのよ」とミセス・スタダート。「握らないこと」

「私、見た目はどうだった……」

「愛らしい、愛らしかったわよ」とミセス・スタダート。彼女は気もそぞろに周囲を見回して花瓶を捜し、すぐ見つかったのがイタリアの骨壺風のもので、彼女はそこに百合の花を活けて花嫁の横に置いた。

　この屋敷はこうした行事のために設計されたものだったのかもしれない。朝の間の位置が称賛に値した。ドアが二つあったから、客たちは部屋から部屋へ回遊できた。各人がそれぞれ新婚のカップルに挨拶し、すんなりとダイニングルームに行けた。フレンチドアを通り、踏み板で出れば、オープン式のテントの中だった（これが夏の結婚式がベストな理由だ。これを可能にするために、彼と彼女は互いに食うか食われるかで、終わりのない長い冬の婚約期間を過ごしたのだった）。ダイニングルームではいとこのリチャードが見張りについて、客をフレンチドアから出さないようにしていた。僕は撃ち殺されるんだと彼は言った、もし一人でも玄関ホールに立ち入らせたら。

「頼りにしてますよ、リチャード」とミセス・スタダート（リチャードは「旧大英帝国領《ザ・コロニーズ》」にいた）。「だって、二つの流れが玄関ホールで入り混じったら、みんなまたダイニングルームに押し戻されて、またローレルのところをいちから通る羽目になって、最悪の混乱状態になるからよ」

ジャネットは花嫁の妹で、いとこのリチャードが、遅かれ早かれ、「どうぞ車に沿って歩いてください」と言うに決まっていると思っていた。誰が気にするもんですか？　と憶測し、結婚式では誰かがユーモラスにやらなければ？　という憶測もしていた。私のウルフカブ[*3]のほうがもっと上手にやるのでは？　彼女は二人の部員《カブ》を提供した。すでに数人が位置について、踏み板を敷いたり、車を駐車できるコーナーに誘導したりした。だがミセス・スタダードは、全体として、駄目だと思った。少年たちの靴が……。それに、友達が交通整理で整理されているみたいに感じるのはまずい。それにいとこのリチャードを失望させることはできない、彼はニュージーランドが長かったのだから。

ジャネットが言った。「あなたの思うとおりに、どうぞ」

若いティルニー夫妻は、花嫁のベールの長いすそと百合の花に挟まれて、後ろには戸外に心地よい太陽があり、彼らの記念写真を世界中が撮るというので立って、カーテンが上がるのを待っていた。ホールには教会を出てきた最初の客たちが到着するのが聞こえた。レディ・エルフリーダ・ティルニーは、ポーチでおしゃべりしている。二つの頭が振り向いて、当面、見事にその場を理解して見せている。たちまち若い二人の会話が始まった。

エドワードが言った。「今朝、君に電話をしたかったんだ」

花嫁の正装、つまり、垂れ下がったチュールとレースから、陽気な、嘲るような笑いが漏れた。

「へへえ!」彼女が言った。

「だけど母がうるさく言うんだ、『さあ、ローレルに電話したらどうかしら?』と。だから僕は外に出て、ラベルを何枚か買ってきた」

「ラベルを?」

「僕の荷物用さ」

「ああ、ラベルね。でも、私たち、一度もそういう会話をしてないわね」

「——みんなが来る——」

「違うわ、あれはテントに持っていく氷よ。エドワード……」

だが彼の感情は停止状態にあった。彼には、状況が求める以上の挨拶がいつもあった。エドワードは固く心に決めていた、彼の結婚は、スタンダールの『赤と黒』のジュリアン・ソレルの処刑のように、簡素に、相応《ふさわ》しく始めるべきで、彼のほうには一切気取りがあってはならないと。

ローレルが続けた。「どうかしら、私たちは、まさか……」

だがこの時、レディ・エルフリーダがドーブニー家を案内してきた。そしてもっとも痛烈なる効果を狙って言った。「私の義理の娘ですのよ」ローレルはドーブニー家に驚いて、愛想のいい、わきまえた微笑で迎えた。ドーブニー家に続いて、客たちが次々と入ってきた。

エドワードは終始冷静で見事だった。おそらくはこのせいで、彼は申し分のない好印象は残せなかった。レディ・エルフリーダは、クラレット色のジョーゼットのドレスで、少しばかり演技過剰だった。離婚女性であったが、さりとて遠慮すべきなのに遠慮せず、実のところ、彼女は花婿の母親だった――そして人はしとやかさを旨として負け戦に参加することになる。ティルニー家の縁故関係《コネクション》は（エドワードの結婚とあって彼に集中し、彼の母親にもそれとなく評価が下された）、明るい縦糸に真面目な横糸というか、前後左右を見極めてスタダート・コネクションを独自に縫って歩いていた。未知の人には通じない合図や微笑で、これらに明るい友達は互いに見分けがついた。二人または三人の親密なやり取りがあると、それが花咲いて枝分かれした。

　ダイニングルームでは、いとこのリチャードが哀れなドーブニー夫妻を相手に手腕を発揮していた。彼はフレンチドアから夫妻を難なく外に連れ出して、テントの中に案内し、そこで彼らは湯気の立つ帆布の下に置き去りになった。椅子の用意はなかった。この行事のために北部の都市ダーラムから出てきた彼らは、たくさんいるティルニー家の人たちと一緒になりたかったのではないか、教会では期待を込めてうなずき合っていたからだ。

　ジャネット・スタダートは家族から言われていた、レディ・エルフリーダとは「うまくやる」ようにと、だがそれをすぐに諦めた。彼女は瞼を伏せた、何となく陰気なダイアナとあちこちぶらぶらしながら、ウルフカブを差配していた。彼女はテントの中を覗き込んでいるドーブニー家につまらなそうに、午後は晴れて本当によかったと話しかけた。

「もっと人が出てきますよ」と彼女は言い足した。「いまは途絶えているみたいだけど。みなさんはチェルトナムをご存知？」

　ドーブニー家の人たちは知らなかった。

「蒸し暑いのよ」ジャネットが言った。「それを承知で、私たちはここに住んでいるんです。でも、結婚式はどうしても疲れますね。申し訳ありませんね」彼女は熱が冷めた目でテントを見回しながら付け足した。「みなさん、座れなくて」

ミセス・ドーブニーが消え入りそうな声で言った。「私たち、立っているのが好きなんです」この娘、背の高いどちらかといえば積極的なジャネットは、ドーブニー家の人々に楽しくなりそうだという印象は与えなかったが、親切にしようとしていることは見て取れた。彼女は笛を取り出すといきなり強くひと吹きし、ウルフカブに指令を出して、すぐいなくなった。ミセス・ドーブニーは、チェルトナムの外に住んでいる退役した大佐たちの娘は、こういうことをよくするのだと思った。ローレルがエドワードと結婚するなんて、何とラッキーなのだろう。彼らはロンドンに住んで、スコットランドや北部を旅するのだろうか。

スタダート家が喜んだのは、ローレルの結婚で古い友達の多くが一堂に会したことだった。会合に参加したいという執拗さは非難がましくなり、遠方に引っ込んでほとんど見えない消尽点にいたいとこたちも集まってきた。クリフォード家は来たし、彼らの挨拶は十二月の第三週に届き、クリスマス前に返事ができた。ブレイク家はハムステッドに興味津々だった。ボウルズ家は娘たちを花嫁候補としてベイズウォーターに出す用意がいつもあって、娘たちはそこには行こうとしなかった。サードマン家は十年間スイスに住んでいて、誰も知らなかった。アレックスとウィラ・サードマンは客間のドアロに居残っていて、あちこち見ている彼らの顔は魅力的で、心配そうだった。彼らは笑顔になろうとするのをもう諦めていた。そしてつぶやいた、「あれはたしかにエライザ・ストラングだわ――キャビネットの向こうにいるでしょ――ものすごくでっぷりしちゃって。私たちのほうを見ていないみたい、……。たしかにあれは――違うわ――そうよ――違うな――ランバート・ケインみたいだけど？」と。だがほとんどがはずれだった。たとえば、ランバート・ケインは数年前に死去、形式に適《かな》った最期であった。サードマン家はショッキングにもそのニュースから除外されていた。彼らは娘のシオドラを連れてきており、一人ひとりに紹介しては嬉しそうに振り返って娘を見た。しかし娘は一度も彼らのそばにいなかった。シオドラは最初に両親に「そばにいないで、欲しいんだけど」と言って、ぷりぷりして親のそばを離れていった。テントの中でスプーンの鳴る音がして、アイスクリームかなと思った彼女はビュッフェに先回りした、婚礼のカップルに引き合わされないままに、自分で取った簡単な方法、つまり、玄関ホールのドアを開けて屋敷の外側を歩いたのだ。花嫁の二人の付添は、ピンク色のニッカーズのせいで腰まで暑くて、老紳士たちから逃げて、ふかふかした芝生に出てきていた。彼女らはここでクロック・ゴルフ＊4をして、ケーキがカットされるのを待った。

「ズルしたわね！」プルーが叫んだ。

「あなた、アーモンドパンを食べてもいいの？」ディリーが返す。

「ううーん、アーモンドパンは食べると気持ちが悪くなるんだ！」プルーはパターを振り回して、芝生に足跡が付くくらい何度もバタバタとジャンプした。「私、一度、教会で泣いちゃった小さな男の子とブライズメイドをしたことがあるの。あなたは？」

悔しくてディリーは押し黙った。

「あの時、私は真珠のペンダントをして、もう一回した時はサンゴをつけたの。あなたは何を？」

「ああ、あなた、ズルしたわね！　自分のボールを蹴ったじゃない！」

「ええ、まあね、私、本気でプレーしてないもの。こんな古臭いバカらしいゲームなんか」

彼女らのピンクの小さな靴は四つとも、芝生の緑がしみになっていた。これは問題になるぞ、と、それに気づいたシオドラは嬉しくなった。十五歳の彼女は、ブライズメイドを除くと、もっとも若い出席者だった。その不運な年齢のゆえに、あらゆることが許されていて、彼女の登場は誰の注意も引かなかった。彼女は眼鏡をかけていて、骨格が大きく、人に印象を与えたいのにうまく行かなかった。彼女の母親の気配りは果てしなく、この機会に青いごわごわした大きな帽子を娘のために選んでいた。出席している成人した女の子たちはつばの垂れた帽子をかぶり、そのせいで透明な影が顔を横切っていた。彼女はこの件について、母親のミセス・サードマンを帰路で質問攻めにすることに決めた。彼女は自分の帽子の下にあるリボンを引き抜いてテントに入り、ビュッフェのほうに遠慮がちに近づいた。

ミセス・ドーブニーがアレクサンドラ王妃[*5]のようなすみれ色のトーク帽に真珠のネックレスをしているのが彼女の目に留まった。「アイスクリームを取ってきますわ」シオドラは大胆に言った。「あら……。まだ始まっていないと思うけど」

「私、うまくやれますから」

ミセス・ドーブニーはお茶のほうがよかった。だが、エドワードは結婚して有能な娘たちの伝統に入ったのだ、ただし彼女は彼が極度に緊張していると聞いていたが……。ミセス・ドーブニーと一緒に、しぶしぶ受けとってもらった二つのアイスを前に、シオドラはこの午後は自分なりの独特な成功を信じるよう折り合いがついて喜んでいたら、レディ・エルフリーダが入ってきた。シオドラはエドワードの驚くべき母親を驚きの目で見たが、無視された。

「懐かしいわ、イディス」レディ・エルフリーダが大声で言った。「あなたは見つけられないものと思っていたのよ――アイス？　あら、なんとまあ！――あなたの足が濡れてないといいけど、私のはずぶ濡れよ。もう死にそう。エドワードはお天気で運がよかったためしがないの」

「彼はそれほどひどいことはしていないと思うわ、エルフリーダ」

「あら、そうなの？――あなたにはぜひジャネットに会って欲しいのよ！」

「ジャネットに？」

「覚えてるでしょ？――あなたに話したこと」

ミセス・ドーブニーは声を低くした、テントが満員になってきた。「だけど、ローレルはとても美人ね」

「ええ、そう、そうね。エドワードは決心するしかなかったのよ。彼女って、愛らしいじゃない？彼の年齢で――」混乱したミセス・ドーブニーの周囲を見回すレディ・エルフリーダの輝く瞳は、稲妻のようだった。彼女は嘲笑しているように見え、あまりにも言いすぎていたのに、言いたいことを言わないで我慢しているような皮肉な気配があった。彼女は声を立てて笑った。「ジャネットはとっても有能よ――彼女はエドワードの試着室に可愛いカブを二人送りこんで、お米をスーツケースに入れる人がいないように見張らせてるの。でも彼の年齢では――」

一心に耳を澄ませてこれを聞きつけたシオドラは、ジャネットはエドワードを愛していて、彼の母親もジャネットのほうが好きなのだろうと推論した。つまり、ジャネットにとって今日という日は無念の一日であり、もしかしたら絶望した一日であったかもしれない。絶望（カーテンに隠れて、カーテンをかじるほどの）をシオドラは理解できたが、まだ愛せなかった。彼女はジャネットに魅力を感じ、彼女を探し出したかった。そしてレディ・エルフリーダをその意味で見つめないではいられなかった。

「彼女は興味がたくさんあると思うわ」ミセス・ドーブニーは合図を思い出して言った。娘たちが全員結婚できると期待してはならない。

「あら、でも私は興味など、信じていませんから、あなたは？」レディ・エルフリーダが言った。ここでシオドラが口を開いて発言しようとしたところで、ミセス・ドーブニーが誰かに肘を巧みに触れられて場所を移動しているのがシオドラの目に入った。「まったく恐ろしい娘だこと」レディ・エルフリーダは年齢など一切考慮しない女で、彼らが下がっていくと言った。「あの子はいったいどこの誰？——」

「存じませんが」とミセス・ドーブニー。

　シオドラはそのまま、憂鬱な気持ちでうつむいて、踏みにじられた芝生を見た。「私たち、また顔を合わせるわ」彼女は自分に言い聞かせた。「彼女は私のことが知りたくてたまらない」この場合、シオドラはたしかに年齢不足だった。彼女は経験不足を告白せねばならなかった。彼女の個性は彼女にとってまだ大きすぎて、平底船《パント》の棹《さお》のように扱いかねた。親切なボウルズ家が見せた好意に屈して——これは彼女にとって初めてのイギリス式結婚式なのか？——彼女はジャネットのことを繰り返し考えた。ミセス・ボウルズはシオドラがロンドンに来たら、喜んでシオドラを泊めるだろう。

「私たち、ロンドンに住んでいますのよ、どうもありがとう」シオドラが言った。「フラットを持ってるんです」

背の高い誰かがフレンチドアに出てきた。「すごく素敵な青年だわ！」シオドラは大きな声で言った。

「シーッ！」ミセス・ボウルズが囁いた。「あれは花婿よ。ケーキカットのために、みんな出てくるんだわ」シオドラはエドワードを見て、一瞬迷っただけで、彼を愛していた。

結婚式は滞りなく楽しく終わった。誰一人、花嫁でさえ、見える所から一分もしないうちにいなくなった。胸に痛い陽気さというか、どこか混乱したものがあった。チェルトナムの配膳業者は評判どおりだった。可愛いブライズメイドが歓声を上げてテントを出たり入ったりしては、テントの綱に足を引っかけていた。ローレルは、気分は高ぶっていたが、苛々することもなく、ケーキをひと切れカットして、もうひと切れを目論んでいた。エドワードは、もうそのくらいにしなさい、と言った。ジャネットは自分の位置についた。ルイス・ギブソンは、ベスト・マンを務めたが、ジャネットがこれは余計だったと思うのではないかと不安だった。健康を祈って乾杯が交わされた。花嫁と花婿とベスト・マンとブライズメイドが記念写真を撮った。太陽が傾き、雨で濡れた庭に照明がついた。客たちは勇気を出して踏み板を踏んで出て、チューリップを見た。太陽はますます傾き、一行を色に染めながらテントの脇に沈んでいった。笑いが白く光る歯でわかり、仲間同士の親しみが眼鏡を光らせている。白い子ヤギ《キッド》革の手袋は手首から巻きもどされ、半分壊れたケーキが金色になっていた。どの顔も炎の色をして――レディ・エルフリーダの顔がほんの一瞬荒涼となった。これは一瞬に満たない狼狽の現われだった、彼女の人生は破壊され、廃墟になったのだ――。その一瞬は見られないで過ぎた。可愛い少女たちはシャンペンを振る舞われたと思ったら、シャンペンは可愛い少女たちから持ち去られた。スタダート家の友達の一人がティルニー家の友達の一人に言った、またお会いしたいわね、と。これは、悲しいかな、あり得ないことだった、ティルニー家のその友達は、海外に行くことになっていたからだ。ティルニー家の友達の一人がスタダート家の友達の一人をランチに誘い、ある事を差配する手伝いをお願いしたいのと言った。テントの中で誰かが気絶して倒れた。誰かが泣きそうな顔になっている。知らせが来て、花嫁と花婿が出発することになった。ミセス・スタダートは別れの言葉を述べた。自動車に半身入れて、さらに言った。「で、ローレル、忘れないで必ず書いてくるのよ、蠟燭立てのことを。それと、ランプが二台とコーヒートレーのことも。あなたの化粧ケースにリストを入れておきましたから」

「ああ、わかったわ、お母さま。はいはい」

「どうなの、エドワードにも手紙がいくつかあるでしょ」

エドワードは、彼らの直近の未来を割り振るミセス・スタダートの役割はデリカシーに欠けると思ったが、我慢してうなずき、ほどなくしてダイムラーが走り出した。

写真家の撮った写真のコピーが数日後に届いた。全員の集合写真は満点とは言えなかった。ベスト・マンの眼鏡が光っていて、彼の自然な穏やかさが損なわれている。幼いブライズメイドたちは「ポーズ」が決まり過ぎていて、膝が一つ露わになっていた。とはいうものの、コピーはみなが欲しがった。新婚のカップルは台紙《マウント》をつけて額に入れられ、コランナ・ロッジにすぐ掲げられた。二人の背の高さ、その優雅さが画面に出ていた。彼らの若さがやや英雄的に強調されていた。コランナ・ロッジを訪れた人が何も言わなかったら、ミセス・スタダートは写真を前に押し出さないではいられなかった。見知らぬ人でも、いつもの客でも、ローレルについてはいろいろと推し量ることができた。その色白な美貌、魅力、アンバランスな美しさ、大きな目の流し方、頭の傾け方、愁いを秘めた明るい微笑、それはあっというまに消えるだろうが。ローレルは見るからにゴージャスだった。そしてエドワードはというと――額、眼窩に深くはまっていない瞳、上を向いた短い鼻梁、広い微妙な鼻孔、顎の線は四角く、重厚というには洗練されすぎている。正装に残る子供っぽい真面目さと優美さ、つむじ曲がりで、好奇心はなく、通行不可能にして、話好きだ。ミセス・スタダートが説明した、彼の微笑は、見られなかったと。しかし、ジャネットが補った、彼の微笑は表現しない微笑なのだと。

＊1　一人でするトランプ・ゲームのこと。
＊2　イングランド南西部グロスタシャーの町。名門の女子校チェルトナム・レディーズ・カレッジがある。
＊3　ボーイスカウトの幼年部員。
＊4　芝生上のボールを中心とする円周上の十二点からパットだけするゴルフのこと。
＊5　アレクサンドラ・オブ・デンマーク（Alexandra of Denmark, 1844-1925）。ヴィクトリア女王の次の英国王エドワード七世（在位一九〇一－一〇）の妃。

2

スタダート家にとって一九二X年の夏は、出来事の多い年になった。チェルトナムのいくつもの家族の間で名を知られるようになった。近隣界隈が想定したのは、早婚が家族の伝統に違いないということ、そして、ミセス・スタダート自身が十代を出たばかりで結婚したので、彼女の娘たちはこの幸福な伝統の下に生まれたのだということだった。ローレルの結婚後、六週間という時、ジャネットはロドニー・メガットとの婚約を発表した。彼女は、この困難な日々にあって、結婚はしないと思われていた。彼女は魅力はほとんどないのに、興味はあり過ぎて、近づきがたい人に見えた。手紙がまたどんどんと届き始めた。ミセス・スタダートは返事をするのに忙殺された。やがて彼女は定型文で返事することを学び、毎日何時間も手を付けないで、微笑で語り、唇をすぼめるのだった。実際のところ、彼女は娘たちなしでどこにいられよう？　だが母親として、人は多くを奪われても生きていく。一度、別に理由もなく、彼女はある朝、部屋を横切っていきジャネットにキスしようとした、ジャネットはタイプライターの前に座り、いくつかの地元の集会の秘書役を辞める前に、関連事項を整理していた。
「完璧に誠実であろうとしても、まず無理だと思うわ」ミセス・スタダートが自信たっぷりに言った――娘がもう結婚したみたいな言い方だった。だがジャネットはタイプの手を少しも緩めず、見上げたその目は漆黒に近い黒い目だった。彼女は生まれて二十年の間に、自分の意見を数々持ったとしても、それを口に出すことは一切なかった。彼女が考えていることは、誰も知らない。彼女はいま、もちろん、幸福を手に入れた、が、それは難しいことだった――チェルトナムはそれを知らない。

姉の結婚の二週間後、すべてが片付き、家が静かになると、彼女は××州を訪問することになり（結婚を契機に、招待されることになった）、持参する新しいドレス三着は、忙しく働いた有能さの褒美として彼女の父が与えたもので、今回花嫁ではなかったことで彼女を慰安する意味もあった。少なくとも一度か二度、昼間または夜に、暗いなりに彼女が美しく見えることはたしかにあった。彼女は母に三度手紙を書いた。一通目は、お天気は××州では不順です。雨でバッツ・モナコラムでのテニスの試合を中止にしたので、私はロドニー・メガットと午後いっぱいビリアードをして過ごしました。彼はバッツ・アビーのコンシダイン・メガット（探検家で猛獣狩りの達人）の甥です。それから二通目は、メガットと夜更かしをしたけど、マーガレットのボルゾイがずっと一緒、この犬はジステンパーを患っています。マーガレットは私にずっと滞在してほしいそうです。最後の三通目に、ボルゾイは元気になってきました。ロドニー・メガットは、ボルゾイの様子を聞きに数回車でやってきましたが、私と結婚したがっていて、私としては、彼と結婚してもいいと思う、と書いてきた。彼女は二日後に家に帰り、その件について議論した。ロドニーは、しかるべく招待され、彼女の後を追ってきた。およそ信じられないことではあった。ロドニーは色が白く、痩せているが、がっちりしていた。態度は物静かだったが、その下で興奮していた。彼は××州ではとても気に入られていた。スタダート大佐夫妻にはその理由がすぐわかった。当然彼らは大喜びした。ジャネットの淡いクリーム色の顔には穏やかな安堵の色が浮かんでいた。たおやかな微笑が伏せた瞼の下の頬に愛らしいカーブを描く。あの珍しい黒い瞳はつねに真剣に探っていて、そこに子供っぽいものはなく、斜めに直視するまなざしは、浮かんだかと思うとそらされた。いままでは不機嫌で通ってきたのが、目を伏せる彼女の癖だったのだ。しかし表情は自制していても、いまは何も隠せなかった、幸福のほかは。

しかしやがて彼らは青くなった。事実上の困難が出てきて、無視できない障碍になった。去年の秋にエドワードがコッツウォルズを越えて来て、スタダート家全体に対するきらびやかな求婚が数か月あって、それがローレルを目当てに絞られるまでは、スタダート家はティルニー家のことなど何も知らなかった。二つの世界は離れていたのだ。エドワードの母の悲惨な過去は、彼らには一つの事実にすぎなかった。その内実は――微妙でもあり、気まずくもあり、エドワードへの配慮もあって――彼らはいまに至るまで立ち入らないできた。彼らはそれで満足だったわけで、エドワードには、何の責任もないことだった。今度はローレルがアドリア海沿岸地方のダルマシアから書いてきた、不安に駆られて。メガットですって？　メ、ガ、ッ、ト？　彼らが知らないなんて、あり得ないでしょ？　ロドニーのおじのコンシダインは、レディ・エルフリーダの共同被告つまり不倫を理由に離婚訴訟を起こされた被告《コレスポンデント》であったのだ。

この出来事についての手紙が、チェルトナムで半狂乱のスタダート家とダルマシアを新婚旅行中で半狂乱の若きティルニー家との間で何通となく飛び交った。ロドニーは自制して熟慮するように求められ、短期間身を引くべきとされ、短期間で済むだろうと思われた。ジャネットが言うべきことは何もなかった。彼女は誰にも手紙を書かなかった。彼女のために無数の心が血を流した。彼女の幸福は差し止められた。ありがたいことに、ガール・ガイド[*1]がこの困難な時期の彼女に仕事を与えた。集会が組織された。その間、最初に接近すべきは、コンシダイン（ジャネットをほめたたえ、スタダート家に好感を持ち、――明らかに――ティルニー・コネクションを知らなかった）、ないしはレディ・エルフリーダであり、彼女は何も知らずにどこにいるのやら、ヴェネツィアあたりでは？　と彼らは考えた。スタダート家としては、エドワードが母親に手紙を書くように示唆するのは好まなかった。これを急《せ》かしたのはローレルだった。

　エドワードの便りに間接的に答える形で、レディ・エルフリーダはチェルトナムに向けてすぐさま手紙を書いた。この状況は少しも問題ではないと考えています。誰もが変わりますし、その他の人は死んだいま、問題は何一つありません。スタダート家にはお礼を申しますが、そちら様を理解することはできません。なぜジャネットを犠牲にするのですか？　もしロドニーが彼のおじに似ているなら、私にはジャネット以上の人がいるとは思えません――私は彼女が大好きなの！　もちろんコンシダインだって、もちろん反対しないのでは？　私はすぐ彼に一筆書きます。まわりくどいことを持ち出して、ジャネットの幸福の邪魔をしないようにね？　だってあれ以来エドワードは――ここで彼女は、いつにない徹底ぶりで、文章を半分取り消した。結びに、みんなでヴェネツィアに集まったら、楽しいでしょうね、とあった。

　彼女はエドワードに同じ要領で、短く書いた。彼女は理由がいくつもあって、不安だった。彼女は急いで読み飛ばす読み手だったので、彼への手紙は、あらゆる要件を満たしてはいたが、ほとんど意味不明だった。彼女は願った（自信はまったく持てなかったが）、エドワードとローレルがダルマシアで楽しい時間を過ごすことを。

深刻な思いで、スタダート大佐夫妻は朝の間に閉じこもって、レディ・エルフリーダの手紙を読み返しては話し合った。彼らはおぼろげな感じで彼ら自身の困難を正しく認識していた、その困難はつまり、世俗とはつかず離れずにいる彼らにとって、責め立ててもいいし聞き流してもいい一件だった。彼らは自分たちが理性的なのかどうかわからないながら、善くあろうと、理性的であろうと、努めた。レディ・エルフリーダの態度にはショックを受け、彼女を糾弾するにも、レディと見るか女と見るかが決められなかった。スタダート大佐は、情熱のない女は嫌いだったが、彼女は完全な意味ではそのどちらでもないと見ていた。だが事ここにいたり、感謝するしかなかった、彼女は、片方の手に無頓着に持った杯《さかずき》で、彼らの娘の幸福と取り決めを願って祝杯を挙げたからだ。

彼らが思い描くバッツ・アビーにはヒマラヤ杉と糸杉があった。彼らの娘がなだらかな芝生の上を楽しげに歩いている。ロドニーはコンシダインの後継者だ。彼のおじコンシダインは、結婚しなかった。スタダート大佐は猟銃会のことを思い浮かべたが、それは後回しにした。彼の妻は、しかし、臆することなく庭園に入り、花壇のふちからふちを小股で歩いてくまなく見て回った。彼らは最初からエドワードよりもロドニーのほうを好み、二人ともがどちらかと言えばジャネットよりもローレルを愛していたので、彼らはロドニーにはローレルに恩義があると感じていた。メガットとティルニーの子供たちは一緒に大きくなったので、姦通《アダルタリー》という醜聞を清め、二つの名前をまた陽気に結びつけるのが自然だったかもしれない。

スタダート大佐夫妻は何も合意せず、何も決めないで、いきなり厳かにキスした。夫人はジャネットを捜しに出て行った。特別に言うことなど、何もなかった。ジャネットは、制服を着て、半分自転車をまたいでいて、急いでいた。今日は集会がある日だった。母はレディ・エルフリーダの手紙を彼女に渡したが、ジャネットは手紙をほとんど無視した。そしてジャネットは円形の芝生の輪郭をたどり、化粧漆喰《スタッコ》のライオンが乗っている門を出て行った。彼女の興味はつねにどこにでもあった。

ロドニーは電報で呼び戻され、食事をすることになったが、そこへ帰ってきたジャネットは、集会で疲れ切っていた。そのあと、彼と彼女は歩いて庭園に降りたが、穏やかな星明かりの中、ほとんど相手が見えなかった。夜気は栗の木の繁茂した葉のせいで重苦しく、火が灯《とも》らない千本の蠟燭だった。栗の木を通り越し、ポプラの木のそばで、彼女は彼の肩にもたれて泣いた。絶望の涙と言えたかもしれない。彼は頭を傾げなかったが、二人とも非常に背が高かった。言葉は交わさなかった。いままで彼は彼女に触れたこともキスしたこともなかった。彼女は彼を愛していなかったが、彼の欲望を理解し始めていた。彼は彼女を少しなぐさめた。一週間後、彼らの婚約が報告された。そこでチェルトナムは了解した、スタダート家の二人の娘は、夏には、男性がほとんど見当たらない夏に、気楽に簡素に婚姻し、いい結婚になるだろうと。しかし、ジャネットの結婚は、秋まで挙行されない予定だった。

そこでミセス・スタダートは来る朝ごとに書き物机の前に座り、実際の不誠実さが何もないのを悔いた。彼女はジャネットに何の説明もなく二度とキスしなかった。そしてジャネットは、地元の集会などの項目をきちんと整理して、他の秘書たちに引き継ぎ、秘書たちは事務の仕事の任期が、おめでたい理由で、短くなることを願った。ジャネットは功績を認定され、刻印が入った銀器のプレゼントをもらった。両親には大きな喜びだった。

レディ・エルフリーダは事後の手紙をジャネットに送り、個人としては、まったくもって失望したと書いた。私はジャネットともっと一緒にいたかったの。私はもうヴェネツィアから戻って、トレヴァー・スクウェアから書いています、私は一人ぼっちよ。六月の終わりに、ジャネット、こちらに来ませんか？　一緒に、嫁入り道具を算段してもいいし（彼女はパリで四日ほど遅れた、パリでは秋が――「商い」にはほど遠い中――すでにヴァンドーム広場に徴候があり、お告げはまだ無言ながら、意味深長な素振りがあった）。みなの了解では、ロドニーもまたこの時ロンドンにいた（大戦後とあって、[*2]決定が長引いて、彼の適性はまだつかめなかった。その間に彼は、おじのおかげで興味の持てる秘書職を確保していた）。

ミセス・スタダートはメガット家の訪問を諦めると自ら言った。一日考えてみても、行きたい気持ちはあった。ジャネットは大胆な態度に出なければならない。ジャネットには、結婚する前に、この含蓄に富んだ茂みを突き破るのが最善のことに見えた。二回か三回の困難な顔合わせ、三角関係が微妙だった。若いティルニー夫妻がロンドンに戻ったときは多くを語らず（エドワードがロンドンに戻るという思いに、ミセス・スタダートは用心して眼を閉じた）、彼女のジャネットが驚くべき取り決めをして、防御を固めることだろう。ただ嫁入り道具について、ミセス・スタダートはレディ・エルフリーダの影響を不当に受けぬよう助言した。当然ながら彼女はよく承知していたが、おそらく程度を越していただろう。しかしジャネットがいくつかのモデルを見て形式を学ぶのは、いいことだった。ジャネットは同意した。彼女は、しかし、密かに心に決めていた、金色のウェディングドレスにしようと。そしてその事をレディ・エルフリーダに最初に打ち明けるつもりだった。彼女は十月の花嫁になるのだ。なるほど、菊の花は日光を浴びて効果を上げるものと予想できた。ジャネットは（こうと決めたわけではなかったが）女らしい、ひねくれていても扱いやすい支配的な意志にはおとなしく従う誰かにお天気を擬人化しても、その人にロドニーは必ず反撥することだろう。何ものも彼の花婿としての栄光を損なってはならないのだ。エドワードの魅力は半女神には届かなかった。彼女は思った、エドワードを愛するには、人は半分は男でなければならないのだと。

六月の午後が、ナイツブリッジでは、屋敷の正面を磨いていた。窓には水晶が渦巻いている。ロンドンの若木は、カーテンのように、微風に穏やかに応じていた。通りとスクウェアの生活は透明に営まれ、さざ波一つなく営まれていた。階段に一歩乗ると、ドアが開き、タクシーが止まって道路の定位置につく。各戸のバルコニーは静かに社交を共有していた。ジャネットはレディ・エルフリーダの長細い小さな客間を見て、涼しそうで歓待していると思った――太陽は遮られている――ホステスは楽しみが待ちきれなくて苛々していた。レディ・エルフリーダは、旅行と言えばほとんどが大陸横断だったから、チェルトナムからの移動など意に介さなかった。ジャネットに疲れたのと訊くこともなく、ソファにいたシャムネコを自分のそばからどかすと、クッションに埋もれて親密な話ができる位置までジャネットを引き寄せた。

「お元気そうじゃありませんか。これがあなたにぴったりなのね。お茶にしますけど、まあ聴いて――エドワードとローレルが戻っているの（だけど、ご存知ね、私が待ったりする?）。彼らは相変わらずで、驚いてもいないの。何も話さないつもりよ、ダルマシアで見たもののほかは」

「でもローレルはほとんど旅をしていませんが」

「だからって、たいした違いはないはずよ」

ジャネットは内気さからゆっくりと手袋を脱ぎながら、言った。「ローレルは新しいものは全部見るんです」レディ・エルフリーダはローレルのことなど理解したくないので、急いで続けた。

「そしてあの人たちの家ときたら、間違いだらけよ。私は思ったの、あなたはもしかしたらと——私はできない、ええ、ええ。彼らはツバメみたいよ、小さな物を寄せ集めて。小さな模様があるんだけど、ええ、紋織地《ブロケード》そのものが間違ってるのよ。買い物にはどこに行ったらいいかを知らないのね、彼らには難しいのよ。彼らはあなたに頼ってると思うの。今日あちらでランチをいただいたけど、言うべき言葉がなかったわ。可愛い少女の初めてのお部屋みたいで、デイジーすらないの。あなたと私——ジャネット、あなたいくつ？」

ジャネットが言った。「二十歳です」彼女の有能さと落ち着きから見て、その言葉は驚きなしでは受け取れなかった。誰も口に出さないが、彼女はローレルより老けて見えた。もっと早くに、まだ髪を下ろして背中に垂らしていた頃に、彼女は自ら大人になっていた。誰かが彼女の肩に触れて、始まってもいないパーティを抜け出そうと言ったかのように。

「二十歳だって？　私が結婚した年だわ。さあ、指輪を見せて——。ええ、そうよ、私はロドニーが好きよ。彼が賢いのを知ってるから。彼はあなたの手を知ってるわね、どう？　私たち、いつ会いましょうか？」

「ロドニーと？　今夜は無理だと思います……」

「違うわよ、オペラのことよ。ああ、あなたはお疲れなのね。うっかりしたわ」そしてレディ・エルフリーダは、心配そうに、静かにお茶を注いだ。おそらく彼女は思っていた、「ジャネットはすぐ疲れるんだ」と。シャムネコが意地悪な太陽のようにまた現われてクッションの上に乗り、女主人を何の同情もなく、見透かすようにじっと見た。レディ・エルフリーダは同情を呼ぶ女ではなかった。友人がほとんどいなかったが、黙るというすべを欠いていて、際限なくしゃべり、自分のことを大袈裟に話した。愛されると、その愛着にひどく苛立つのだった。エドワードの穏やかな父親の義憤は堆積していて、妻の不実を発見すると、その懲罰としてすぐ離婚した。彼女がコンシダインを諦めたことと、コンシダインが彼女を諦めたことは、説明不能のままになった。長い姿見が彼女の小さな客間を細長く見せ、その前景を偽物にしていた。彼女の人生においても、その客間においても、知人は方向感覚がつかめずに、どっちに進んだらいいかよくわからなかった。彼女はミルクが入った受け皿をシャムネコのために置くと、シャムネコはソファの背中から皿をめがけて重りが落ちるみたいに落ちてきて、ジャネットを驚かせた。

＊1　一九一二年にアメリカで創設されたガール・スカウト（girl scout）に相当する団体のこと。
＊2　The Great War と言われた第一次世界大戦は一九一四年から一九一八年まで続き、一九二〇年代は平和とは裏腹な不穏な時代だった。

3

エドワードがローレルに言った、ジャネットがトレヴァー・スクウェアに到着後のまだ明けやらぬ早朝のことだった。「ファミリーランチをしなくてはならないと思うんだが？」

「四人で？」ローレルが言った。それが彼の解決策なのだ！

「ロドニーも」

「五人はダメよ——あなたのお母さまは？」

「四人だね」エドワードはそう繰り返すと、ベッドで寝がえりを打った。

「あら……？」とローレル。反対したのは、うわべだけのことだったのに。ローレルはじつはとてもほっとしていた。昨日のランチのあと、レディ・エルフリーダが帰ったあとで、彼女は自問していた、「何の役に立ったの？」と。そして、人生のいくつかは近づくこともできないままに、チェルトナムに電話する気持ちはあるのだと。彼女は、レディ・エルフリーダが見当違いの店に文句をつけた型紙を全部返し、エドワードが帰ってきたときは、カーテンが入る当てがまったくないというので泣いていた。

エドワードはいつも心を決めて目を覚ましていた。いまは枕からカーテンのないまぶしい窓に目をしばたたせながら、再び心を決めた。「いや、むろん今日はダメだ」彼らは墓石のような二台の低いベッドに並んで横たわり、眠りに落ちながら、それぞれが相手の中に、終止符が打たれた空気に気づいていた。そしていま、目を手で覆いながら寝返りを打つと、お互いが新しい一日の光の中にいることを知った。

「今日はやめておこう」まずジャネットひとりと一緒にと心を決めて、ローレルは手を差し出した。彼らの指が二台のベッドの間にある深みを超えて探り合った。小さなときめきが墓石二つに活気を与えた。明日は、だから、イオニデスで四人で一緒にランチをしなくては。ローレルは起き上がって化粧室に行き、エドワードはまた眠った。

エドワードが家を出てホワイトホール[*1]に向かうと、ローレルは走って電話に跳びついた。ジャネットはまだ半分寝ていた——レディ・エルフリーダはローレルには唖然とするばかりの思慮のなさから、前夜ジャネットをオペラに連れ出していたのだった。二人はお互いの声の響きが快くて笑い合った。数分間、計画はまったく生まれなかった。お互い、暗黙の裡に約束していた、「私の秘密を教えるから」と。そしてその数分の間、レディ・エルフリーダは罪を犯したことがないみたいだった。やがて少し間があいて、ジャネットの声が変わり、レディ・エルフリーダに代わってローレルによい朝をとあいさつした。そしてロイヤル・アヴェニューには十一時半には立ち寄ると約束した。

レディ・エルフリーダは姉妹もいないし欲しくもなかったが、姉妹という関係を表面的に支持するつもりはあった。ローレルは彼女の失望が推測できた。ある朝が、今日という日がたしかにあったのだろう、トレヴァー・スクウェアのために企画され、ロドニーだけを受け入れるはずだった一日が。しかしホステスはローレルの妹が難攻不落と知るだろう。ローレルは憐憫策を講じてみた。「エルフリーダは私に似ている」彼女は考えた、「彼女は心を物事に置いているのだ」と。

十一時半にローレルは、客間の窓辺にたたずんで、背の高いカップルがロイヤル・アヴェニューを行くのを見ていた。感嘆したくなった。ロドニーだ。彼女の家のドアのところで二人は別れた。彼の姿がよく見える。ジャネットは恋人を振り返らない。一瞬ののち、ベルが鳴った。姉妹は階段で出会った。黒っぽい服装に、新たな自信から、一輪の薔薇をコートに刺したジャネットは、いつになく引き立っていた。

感情が動くのに驚きつつ（というのもこの姉妹は相手を見逃すことは滅多になかったから）、二人は少し離れて、微笑みながら部屋を歩いた。「ほら見て……」ローレルが叫んだ。「私たちって、趣味がないわね！」彼女は妹に一脚の椅子とラグとこれが間違いだったと認める緑色の漆塗りのキャビネットを指さし、そのほとんどをつぐなっているもっとも明るい肘掛け椅子に座り、ジャネットに話し続けた、いかに自分が本物の花嫁であるか、召使たちが怖くて——彼女は何年も前に計画していた、自分の召使はみな顎の下で紐を結ぶモブキャップをかぶり、午前中はチェリー・ピンクのお仕着せをと、シンプキンスとシルヴィア（これがコックの名前とは！）には強制しないことと——、そして気持ちを高めるために一日に三度ドレスを着替えることも。彼女は自分の予想以上にロンドンが気に入り、（エドワードに悟られてはならないことだが）ロンドンの地図をどのハンドバッグにも入れていた。バス案内図も忘れずに。ロンドンのことを買い物という意味で考えないこと、また、パディントン駅[*2]と関係のない地区を思うと、心もとない気持ちがした。ミセス・ボウルズがすでに電話をくれて、何かできることがあれば、と言っていた。そしてあの少女、シオドラ・サードマンが電話をしてきたのは、誰もその理由を思いつかなかった。ローレルが白状して言った。

「結婚式で、私がシオドラにここに残ってね、と頼んだの。彼女にはイライラさせられてしまい、ほかに言うことがなかったものだから。でも彼らはロンドンに住んでいるのだから、彼女が残りたがるなんて思わなかったの、あなたは？」

ジャネットも思わなかった。不意に思いついてローレルは、話の途中で少し間をおいて、奇妙だと思った、どうしてジャネットはロドニーのことを口にしないのか、彼はさっきドアまで来ていたのに。憤慨したいのを抑えてローレルはまた話し出したが、早口になっていた。ジャネットがまるで未知の人のように見えた。

ジャネットは周囲を見渡して結婚のプレゼントが来ているなと思った。全部が彼女にはよくわかっていた。彼女は包みをほどき、整理して、また包みなおし、こういうものが一斉に来て、家庭ができていくのを不思議に思った。ありがたいことに、部屋は展示場のようには見えなかった。彼女はローレルにそう言った。太陽が燦々と降り注ぎ、椅子やクッションの色がすでにお化けのように褪せている。

「ああ、ジャネット――」

ジャネットは、煙草などほとんど吸わないのに、隆起なめし革《シャグリーン》の煙草ボックスから一本取りだし、真面目に火を点《つ》けた。

「――私たち、あなたの婚約を台無しにしなかったでしょうね？　あなたは私たちの新婚旅行を台無しにしなかったでしょ！」ローレルが言った。

「母と父が心配してたわ。だけど私はロドニーと私が結婚することは知っていたの」

「ロドニーはそれでいいの？」

「あのね、彼はコンシダインに馴れているから。私は、コンシダインはどうしようもない人だと思う。数人ならいたのよ――というのは、ロドニーが結婚できない人はたくさんいるの、もし彼があやって自分勝手な見方をするなら」

ジャネットはたしかに皮肉屋に見えた。そしてこれは、やけくそになっていて、可笑しかった。ローレルの微笑の半分は、判断とは裏腹だった。こうなるともう一頭の蝶と同じ、無責任だった。

「どこがいいの、あんなにたびたびアフリカにいるなんて！　どんな人なの――コンシダインって？」

「知らないわ。私は彼がとても好きよ」

「ジャネット、あなたってとっても――？　つまり、あなたって恐ろしく――？　そうか、私は質問できないんだ」

うつむいて、自分の幸福にまつわる問題を見つめながら、ジャネットは煙草の灰を睡蓮《ロータス》の絵がついた小さな皿に落とした。「いままでこんな気持ちになったことはないの」彼女は正確に言った。ローレルの妹に対する瞬間が一つの思いのように消え、禁じられた。落胆して彼女は言わずにいられなかった。「エドワードはもうたいして気にしないと思うの」

「おお」ジャネットは皮肉でなく言った。

「でももしあなたが考えていたら――理解してくれていたら、ジャネット、彼にとってエルフリーダはつねにたいへんな恐怖なのよ。私はまだ本当にそれを理解できてないと思ってる、まだまだ。あなたと私はこうしたことにきちんと対応してこなかったわね」

ジャネットの瞼はなおも無表情だ。ローレルが続けた、人間性を教えられ賢くなったという空気を漂わせながら。「そうよ、あなたはときどきしゃべるでしょ、ジャネット、世界中で起きたことがあなた自身に起きたように、そして、あなたはそれに甘んじているだけだから、問題にならないのよ。でも結局、あなたはエドワードじゃないの。ほかの誰もそうじゃないの。彼が五歳だった時、彼らはみんなで出てきて……」

「誰がみんなで出てきたの？」

「彼のティルニー家のおばさんたちよ。彼女らは説明なしに出てきて、彼を家庭からさらってタクシーに乗せたの、ものすごく憤慨して。思い出すのも恐ろしいと彼が言うの。誰も説明しないでしょうしね。恐怖の屋敷はバッキンガムシャーのどこかにあるらしく、ロンドンの家具がいくつも運び込まれたって。洪水で沈んだ難破船みたいだと彼は思ったの」

「あらあら、エドワードがそんなことを思いつくはずがないわ、五歳だったのよ。私は思うの、ローレル、あなたは彼に何かほかに考えることを与えるべきよ、彼が九歳とか十歳だったとしても……」

「そうよ、彼は五歳だったのよ」ローレルは困って言った。「彼が六歳の時に、彼がお母さんは死んだの？　と訊き、彼らは言ったのよ、『そうらしい』と。想像がつくでしょ、彼がそのとき何を感じたか。彼は骸骨を見たのよ」

「彼のおばさんたちって、未婚だったの？」

「もちろんよ。その間、彼の母親は、当てつけるようにパリまで行って、ひとりで暮らしたのよ。エドワードは言うの、コンシダインが母を捨てたとは言いたくないって、だけど、誰もが異常だと思ったわ、彼らがその後結婚しなかったのは。彼女は、自分がすべきではないこと、避けるべきこと、何が一番人を傷つけるか、それを自分で考えて、すべてやってのけたみたい。すると人々は彼女は何と運が悪いのかと言い出し、そのうちなんて魅力的なのかしらと言うようになり、エドワードがもっとも感じやすい時期になったら、戦争のせいで彼女は英国に帰ってきて、どこにでもいたような顔をしてたわ。エドワードは成長して、つねにこの母を慰め、立ち直らせるつもりでいたのに、彼らがいざ会ってみると、彼はまったくお手上げだった。それから彼女はフランスの南にある病院で働き、彼は、フランスでの戦争の最後の年に、年は十九歳だったんだけど、休暇を彼女と一緒に過ごしたわ。戦争が終わると、彼はオクスフォードに行き、彼女はトレヴァー・スクウェアの屋敷を借りたわけ。彼女は完全に満足した様子で、コンシダインのことをまるでエドワードのおじさんみたいに話し、ついにエドワードは自分の我慢も限界だと彼女に思い知らせるしかなかったのね。その時でさえコンシダインはライオンやその他と一緒に、『タトラー』や『イラストレイテッド・ロンドン・ニューズ』によく出てきたものよ」

「彼は注目の的ね」

「ええ、そう、そうなの。彼は若き日のエドワードにとって、ヒーローそのものだったのかもしれない」

「だけど彼はエドワードを永久に法的に無効にしたわけじゃないから」

だがジャネットはまだ妻ではなく、どうやって理解しろというのか？　夫がすでにこのすべてについて闇の中でローレルに話した、頭と頭を寄せ合い、両腕で彼女を抱いて。この事を彼は前に話したことがあったのか？　彼は言った、いままで自ら感じたり考えないようにしてきたのだと。彼女が彼を深く慰めたので、彼は泣いた。彼らは言葉なしに目論んでいた、彼は子供時代をもう一度生きるべきだと。

ローレルは手の指を椅子のアームいっぱいに広げ、抑圧されたような表情になり、同情心のないジャネットをまともに見てあまりにも寂しそうだったので、ジャネットはローレルのそばまで移動した。「ダーリン、ごめんなさい。でも私たちはみな何とか生きていかなくてはならないのよ。物事が私には違っているように思うの。私はあまり感じないほうだけど。いつも何かしなくてはならないの、何かの段取りをつけたり、手紙に返事をしたり。みんながどういう人なのか知らないのに――そう、私はコンシダインのことをあなたに話したりできないわ！　レディ・エルフリーダは常軌を逸していると思うけど、それがトレヴァー・スクウェアでの彼女の生き方のように思えるの、人の言うことは聞かない、時間は守らない、濃い赤い髪にしてるのも」

「染めてるんだ」ローレルはひらめいた。

「それでも彼女はとっても堂々としてるわ。この午後は、ああいう怖いような階上のお店に連れて行ってくれるの、母が出たくなくなるようなお店に。ほんとよ、ローレル、人が勇気を出すのはいいことだと思う」

「それができればね」ローレルが言った。「――ロドニーについて教えてよ」

「今夜、ディナーに来るわよ」

「でも彼について、知りたいの！」

「彼はドアまで私と一緒に来たの。あなたは彼を見たでしょう」

「見たわ」ローレルが認めた。

「私の言う意味、わかるでしょ？」

「彼と結婚することについて？　もちろんよ。でもねえ、ジャネット、お願いだからもう少し普通にしてよ！　きっとあなたは結婚したら……」

「きっとね」ジャネットは厳かに言った。「だけど、私は何を言うべきか一切考えられないみたい、自分が思ったとおりには言えないのよ――ローレル、いつみんなで会えるの？」ローレルは、話すにつれて不吉な予感が高まり、エドワードの明日の計画を明かしてしまった。ジャネットは胸を打たれた。ロドニーが自由になると彼女は確信した。彼は自由に動くにちがいない。ローレルは言った、エドワードはロドニーが気に入ると信じていると。彼女らは二度とエドワードのことを口にしなかった、ロドニーのことも。どちらの話題も再び持ち出される理由はないと思われた、この先彼女らが夫とともに暮らす年月が続く間は。

コックのシルヴィアは、地下室の階段の先にあるドアの辺りをじっと見た。姉妹がダイニングルームを見に階下に降りてくるのを関心をもって聞いていた。ホールを横切った。二人がよく見えた。いまミセス・ティルニーは愛らしい姿で、歓待しようと心を配っていたが、彼女には「スタイル」がない。ロンドン風に馴染んでいないのが見ていてわかった。たとえば、彼女はシルヴィアとシンプソンに町のティーショップのウェイトレスのような格好をさせようと努め、当然のことながら、彼女らはその効果を出せなかった。それから彼女はキッチンに次々と絵画を持ち込み、明るく見せたがった。シルヴィアはローレルのことを牧師の娘だと理解していた。しかし、ミス・スタダートにはスタイルがある。シルヴィアは驚かなかっただろう、もし彼女が貴族と結婚することになっても。そのような妻がミスタ・ティルニーの願望であっただろうが、シルヴィアには一か月かそれ以上は耐えられないと感じた、ああでもないこうでもないというやり方、シンプソンの振る舞いは別にしても、ミスタ・ティルニーの夢みたいなやり方から彼を追い出してやる。そんな娘なら、チェルシーの恩給生活者のあとを追い回せばいいのだ。ズボンをはいていれば、誰でもいいのだ。だがここの仕事は軽く、彼女とシンプソンはミセス・ティルニーにはっきり理解させた、彼女は犬と子供を持ってはならず、晩餐会をしてはならないと。

この時、錠前の鍵が回り、シルヴィアは憤慨のあまり階下に足を踏み外すところだった。なぜならミスタ・ティルニーがそこにいたからで、六時まで帰宅しないはずの彼は、ぱっと一歩引き下がった。ミセス・ティルニーはその時ちょうどトレーに乗せたポーチドエッグをもらってありがたいと思うところだった。「ただの骨さ」と彼は言うだろう。「まるで」とシルヴィアは思った。「僕らは霊安室なんだから」と。

婦人たちがダイニングルームから出てきたが、ミセス・ティルニーがそこでテーブル（一つはシンプソンのために）をまた磨いている音がした。ミスタ・ティルニーは立ち上がった、まるでホールが石炭の投げ入れ口であるかのように。ダイニングルームのドアに手を伸ばしながら、彼が言った。「マイ・ダーリン？」

そしてミス・スタダートは意を決した低い声で言った。「ハロー……エドワード」

＊1　トラファルガー広場から議事堂にいたる通りで、ロンドンの官庁街のこと。
＊2　ロンドンのターミナル駅の中でもっとも西寄りにあり、イギリス西部つまりチェルトナム方面への玄関口。

4

シオドラは、結婚式は偉大なこととの連続であってほしかった。彼女はがっかりした。社交的には、実体が何もなかった。若きティルニー夫妻が新婚旅行から帰って来ても、彼女はまだすることが何もなかった。

シオドラは自分の家族の立場について、非常にはっきりと理解していた。サードマン家が、長い亡命生活ののちに、英国に定着することは、非常に大事なことなのだ。チェルトナムまで列車で来る間、彼女はこの機会を十分に生かすよう両親にお願いしていた。追いつめられたことがフルに働くように、彼女は、教会の帰り道で、二つの部屋の間にあるアーチにうまくおさまった両親をそのままそこに置いてきた。だがここで、なりふりかまわず受け身になって、彼らはボウルズ家に迎えにきてもらった。彼女自身は帽子で失格していて、心配しながらうろついたが、誰にも先入観は抱かなかった。彼女の失敗は大文字で自分のために書かれた。彼女は食欲のほかは満たされなかったが、マジパンとアイスを食べ過ぎて顔色が青くなり、彼女の両親を祝祭の家から連れ出す結果になった。帰りは、三等列車で、ボウルズ家と膝がぶつかりそうになりながら、シオドラは派手な帽子の下から睨みつけて全員に対する軽蔑を表わした。アレックスとウィラ・サードマンは、人生とは個人的な出来事であることがどう説得されても理解できず、そのことで、捨て鉢になっていた。もっとも前向きなとき、彼らはささやかな穏やかな不屈の精神を見せた。おそらくはそのゆえに、彼らの娘は山賊のように武装し、物にも人にも銃を突き付けて手を挙げさせ、略奪品を年々増やした。

アレックスとウィラ・サードマンは、満足して午後を過ごした。とても愛想よくもてなされて、いまさらスイスのことを悔やんでもいられなかった。彼らは過去をなつかしんで窓ガラスに顔を押し付け、列車は速度を上げて、戦争から回復した貴重な原野をぶっ飛ばした。しばしの間住んだ切妻屋根や庭園をいちいち偲んだ。ボウルズ家から繰り出される問いかけに、回想のスイスが立ち現われた――その他のことはともかく、シオドラは思った。ボウルズ家はたしかにバカ野郎だ、列車の中でしゃべるとは――。愛しいスイス、イタリアより空気が澄んでいて、フランスより親切だなどと。ウィラは称賛した、空気、ミルク、正直さ、教育、整った風景、風景はそこにあって近すぎないのがいい。何百というイギリス人家族が湖畔に沿って点在する小屋に陣取り、言葉を訳して楽しんでいた。楽しみがたくさんあった。舟遊び、植物園、そして愛しい国際連盟。ボウルズ家は三か国語を話せるシオドラにおめでとうと言った。

シオドラは怖い顔をした。そしてそれは本当じゃないと答えた。彼女の眼鏡は寒い湖を拡大し、彼女のスイスの教育の殺伐とした長所を拡大した。彼らは彼女が十五歳だということに思い当たった、難しい年齢だ。

ローレルの数週間の新婚旅行の間、シオドラはかつてないほど難しくなった。グロスター・ロードにあるフラットは小さすぎて、彼女の大きな足は、金を払って借りたがらくたの中で大きな音を立てた。電話は彼女の気晴らしであり同時に拷問だった。彼女は両親とは外出せず、フラットでひとり孤独に居残り、何時間も住所録を見たり、足音を聞いたり、車両が東の歓楽街に行くのを聞いた。それから、ドアにかんぬきをかけて、著名な人を数人電話で呼び出し、秘書や執事をうまくかわして、そのたびに数秒の会話を交わし、レディ・ハンター・ジャーヴォアという偽名で切り抜けた。彼女は快い成熟した声を持っていた。有益な資産だ。電線を通して情熱的に、その数分間、彼女は屋敷の目に見えない神経そのものになっていた。しかし苦いものがあった。彼女は一度ウィラに向かって叫んだ、「お母さま、私たちって、どう見ても余計者ね?」と。

「ずっと素敵でしょうね、ディアレスト、学校に行ったら。でも私たち、考えたの――」彼らは考えたのだった、学期が終わったら、ロンドンで文化的ホリデーを、と。六歳の時から、この少女は厳しい教育漬けになっていた。

「でも私たち、ここで問題にされたいわね？　そろそろ始めないと、じゃないかしら？　お母さま、あなたって、鉄道の駅で自分のスーツケースにいつも座っている人みたい。上等のスーツケースに、素晴らしい駅で！　ヨイショッ！」彼女は意味不明の音声を発した。

「シオドラ、私をいじめてはいけないわ」

「私はお母さまに話しているだけよ――」

「ああ、静かになさい、シオドラ。お父さまも私もがっかりしました。あなたはロンドンが気に入ると思ったのに」

「ロンドンのどこが私にいいの？」

「お父さまと私はとても嬉しいの、バスに乗っていろんな様式を全部見るのが」

「私は様式なんて大嫌い！　それにお父さまは、どうしていつもマッキントッシュコートを持ってるの？」

「画廊なんかどうかしら――」

「私たちが行く催し物って、いつも無料みたいね」彼らの娘が疑わしげに言った。「お母さまにはわからないの、何かほかにすることがある人は、画廊なんかに行かないのよ？」

「でもナショナル・ギャラリーはいつも混んでるわよ、シオドラ」

「それが一番の証拠よ」シオドラが叫んだ。「わからないの、人生ってそれほどまでに恐ろしいのが？」

十五歳であることは、たしかに難しいことに思われた。ウィラは思い出した――彼女自身、ピアノを大いに練習していて、父が反対したときに、こう言った、「いいわ、お父さま」と。彼女は体型ができ上がり始めていて、髪はもう後ろでまとめて編んでいた。赤毛のメアリと黒髪のミスタ・トレンスがいたっけ――もしかしたら彼女は愛してさえいたのか？　厄介《ディフィシル》なことがあったのか？ウィラにはそうは思えなかった。彼女ははっきりと覚えていた、「本当にもういいの、ありがとう」と言ったのを。「お好きなように、本当に」そして「だって、ミセスX、私にはさっぱりわかりません」と。

シオドラは即興演奏はしたが、練習はしていなかった。彼女には体型ができ上がりそうな気配はまったくなく、だからおそらく魂のほうも遅れていた。だからウィラはそっと言った。「芸術の才がそのうち出てくるわ」

「どういう意味だかさっぱりわからない」シオドラは答えた。このときにアレックス・サードマンがサウス・ケンジントン・ミュージアムからマッキントッシュを手に持って帰ってきて、シオドラに言った、お母さまに意地悪をしてはいけないよ。シオドラは寝室に行った、まだ午後四時だった。そしてほとんどの議論は終わった。彼女は横になって、かかとで壁を蹴ったに違いない、彼らにはその音が聞こえた――トン――トン、薄い間仕切りだった。サードマン夫妻は溜息をついた。二日後、夫妻は密かにサリー州まで出かけた。

ここで彼らは女性の校長と面談した、校長は彼らの目にはドキッとするほど独特な人で、一人ひとりの発展を重視して、女生徒たちにペットを飼うよう奨励していた。そして女校長は彼らがシオドラについて何を言っているのかを即座に理解した。「娘は並外れた性格をしていますの」とウィラは言った。「どうしても感じるんです、彼女は少し異常ではないかと。とても張り切っているというか――どうやって説明したらいいか――感じやすいんです。駆り立ててはいけない子なんです」女校長はこれを冷静に受け止めた。「私どもの考えとしては、彼女は書くかもしれません」ウィラがこう言って補足した。しかしアレックスは――彼らはモルモット《ギニー・ピッグ》のいる温室にいた――檻の桟に沿って杖をそっと引いた。モルモットは太った丸い背中を丸めて闇の中に消えた。「彼女は頭がいいのです」彼はそう言って、檻の中を覗き込んだ（頭は彼の息子も持っていただろうに）。「だが不安定で、変わりやすくて」校長は鷲鼻の、背の高い、魅力的な服装をした人で、ウィラに少し近づいて親しみを見せた。「思春期ですからね」彼女の書斎にはこの題名の本が棚にずらりと並んでいた。モルモットは、とアレックスは考えた、モルモットなのか？　彼は忘れていた――シオドラは何を見逃したのか？　太陽が傾いて温室の壁から熱く射しこみ、彼らはみんな火照っていた。

シオドラは強い愛着を持ったのか？　彼らにわかるはずがなかろう！　スイスは非常に穏健だった。女校長のミス・ビングの後をついて行くと、温室から青緑色の応接間に着いた――モダンな彫像がいくつも置かれていて、ミス・ビングはその影響について何の心配もしていなかった――そこで彼らはシオドラについて取り決めて、例外的な扱いにすることにした、学期の途中でやってきて、すぐ入学するということで。なぜならロンドンは……。ミス・ビングは了解した。彼女は指輪もない神経もない手を差し出して、彼らの信頼を手中にした。思春期に関して彼女が知らないことは一つもないので。真っ赤な体操着を着た少女が一人窓の外を走り抜けて幸福を具体化し、芝生が日光を浴びてすっくりと立ち、ピアノの練習曲が一つ上の階で始まり、自己の報いとなる勤勉な形式が暗黙の入学志願として、光り輝く沈黙と動かぬ樹木に守られて成立した。

彼らは娘のもとに帰る途上で防備を固めた。彼らはついに提供できる人生を手に入れた。フラットは思った以上に暗く、彼らが忘れていた倦怠《アンニュイ》を閉じ込めていた。シオドラはかつてないほど籠の中にいる雰囲気になっていた。彼女はどんな告知にも告知で対抗した。ローレル・ティルニーが戻っていて、シオドラは彼女を電話で呼び出していた。花嫁にそんなに早く？　彼らは青くなった。その理由など説明できない。そしてスタダートの人たちは今宵、ほんとに空中に舞い上がったみたいだった。チェルトナムから手紙が来たからだ。ジャネットが、婚約して、ロンドンを訪ねてくる。新しいカップルが二組いるというこの状況は、困難で、危険なもので（この時はさすがにシオドラにも理由を話さなくてはならなかった）、ディナーの間中、サードマン家の注意を引き付けていた。冷たいスープ、温かいカナダ・サーモン、そして沈黙の中、両親の冷たい顔二つに挟まれて、シオドラは沈思黙考し、この新しい関係の絆をテストした。コンシダイン――生きて現われた大物、彼女は完全に彼が見えた。歓楽に飽きて、虎の毛皮をふんづけて、このネコ属の主役の仮面を背に、見るからに――蜘蛛の巣が張った朝方のアザミの細かい綿毛のように――、女性軍の評判とは縁を切っていた。翌朝彼女は彼に電話した。コンシダインには、ありそうもないことは一つもなかった。レディ・ハンター・ジャーヴォアの再登場が喜ばしくないかもしれないなど、彼に話すまでもなかった（彼らは会ってはいたが、彼女が言うには、カイロですれ違っただけ）。彼はその声に魅了された。しかし、悲しいかな――彼女は電話を切って、地下鉄の駅を出た母親に合流した。登校準備の買い物をする予定だった。午前中ずっとシオドラは皮肉にも言いなりになっていて、歯の検査を受け、目も診察してもらい、計ったり、回転したりして、高級でない店の写りの悪い鏡の前にいた。お茶の時間までに彼女は、靴とネクタイと房の付いたキャップと、膝まであるチュニックとブレザーと、「合理的な」胴着とダンス用のサンダルを入手していた、このサンダルがないと彼女の個性がメリフィールド校で発展することはあり得ない。彼女は下唇をなめ、よそ見していた。彼女は学校生活という将来を受け入れていたが、興味はなかった。「だって」と彼女は母親に言った、オクスフォード・ストリートで途方もなく遅れて止まってしまったバスの窓から咎めるように、「これほど最悪のことってないわ」と。

ウィラはマラバーの襟巻《ハゲコウ》にくるまって、注意深く洗った手袋の親指を押しながら、心から安堵していた。「そして犬を飼えるのよ、シオ」

「犬なんか欲しくない、学校に連れて行くのにわざわざ買った犬なんて」

「みんなペットを飼ってるみたいよ」

「異常だわ。蛇なら飼ってもいい」

「それはどうかしら――」

「学校案内をもう一度見せて」

穏やかな、控えめな学校案内だった。だがシオドラは頁を繰って、言った。「ちょっと、助けて《オー・マイ・ゴッド》！」

バスの中の数人が振り向いた。学校紹介の説明図で、少女たちが走っている、ホッケー、ラクロス、そしてテニス、飛込準備中の少女たち、食事の支度中の少女たち。浴室、誰もいない。寝室、誰もいない。礼拝堂、満員。スイミングプール、そして図書室。「ほんとに、お母さま、あなたって感動的……」

バスはどんどん進む。揺れながらゆっくりとエヴァンスの店を通り過ぎる。鮮やかな色のハンカチーフがガラスの向こうでハチドリ《ハミングバード》のように飛んでいて、ストッキングの大車輪が絶え間なく回っている。スリー－アンド－イレヴン。ウィラは振り返って見て感心した。そして一方、路肩に沿って慎重に歩く三人の背の高い少女が、みんなジャネットにそっくりで、シオドラの目に次々と映った。彼女はこれを前兆と取った。

シオドラが去るその朝、ジャネットその人がグロスター・ロードのフラットに現われた。チェルトナムからの熱い警告がこの訪問を急がせた。とても愛しく、とても見放されて、サードマン家はつねにジャネットの母親の道徳面の地平線を曇らせていた。誰かが何かしなければ、何とかしなければ……。しかし恋に身を預けた娘が二人ときては、その一致は重大で、コランナ・ロッジは混み合う……。だがサードマン家は気を抜いてはならぬ。ジャネットは今朝、言うことは何もない、なごやかな代理人なのだから。

彼の妻は彼の娘のために荷造りし、彼の娘は彼の妻を批判し、アレックス・サードマンは、興味あるものは何も読み取らず、訪問者を喜んで迎えた（ジャネットは一瞬空白を垣間見た）。彼は婚約で見せた彼女の率直さを称賛し、そして、ふと気づいて、シオドラの新しいラケットを取り出して彼女に見せた。これがシオドラにとって最高のラケットだと思うかい？　ローザンヌで、彼女はジュニア・チャンピオンになりそこなったんだ。ジャネットは急いで返事をせず、うつむいて立ち、ラケットの重さを計っていた。アレックスは、鬱陶しくなり、きもち自嘲的になって判決を待った。彼は父親失格だったのか？　彼は知った、いまから永久にそれを知るだろうと。フラットのドアは夏の風でみんなカタカタ鳴っている。

　だがウィラが驚いた顔で入ってきて、自分のドレスのほつれた毛糸を数本摘《つ》まんだ。

「ジャネット、よく来たわね！　シオドラは今日学校に行くところなのよ！」

「だったら私、まずい朝に来てしまったわね」

「あら、そんなことは全然ないのよ。そんな意味で言ったんじゃないの――どこにお泊まり？」

「レディ・エルフリーダのところに」

　何てこと訊いたのかしら、とウィラは思った、いますべてが難しいときに。ティルニー家があの手順を取ったとき――ロドニーはそこを訪れることができたのか？　何が言われていたか人は知らないし、人は誰も見ていない。ほかの人なら考えそうなことを人はどうしても知りたいのだ。「そうだわ」彼女が言った。「レディ・エルフリーダはハロッズの近くに住んでいるわね？　とてもいいことに違いないわ」

「ええ、そう、そうね」ジャネットが言った。「とても」

静寂が漂った。ジャネットは母親に託されたサードマン家への伝言を忘れてしまい、何か代作をものする機転もなかった。サードマン家は何を聞きたがっているのだろうと考えた。ここ数週間、彼女は自分という誰かに初めて気づき、最近では自分以外のものが目に入らず、彼女は一つの姿を宿命的に見守っていた。まるで近視になったみたいで、ほとんどの物が一つににじんでしまい、遠くを見ても当然方向は探れなかった。したがってチェルトナムからのニュースのことは考えられず、例外は一匹を除いて犬が全部よそにやられたことだった。彼女が不在となれば犬の散歩ができなくなったのだ。彼女は補足することもできただろう、ロドニーの結婚式のためにこの先好天が見込まれ、予行演習も滞りなく、コランナ・ロッジの周辺の丘陵や木々に、彼が彼女に会いに来る午後のあふれるばかりの輝きというものを。

「学校ですって？」彼女は親切に繰り返した、「彼女が幸せだといいわね」と。そしてシオドラが来て握手したときは、これが、「学校が気に入るといいわね」に変えられた、この二人は同世代と言えるほど近い世代にありながら、幸福について話すのは不可能になっていた。

「もちろん私は前に学校に行ったことがあるのよ」シオドラが言った。彼女には入学を演出する時間があった。髪の毛は後ろで束ねられ、新しい固い黒のリボンがついていた。ジャネットの声を聞いて彼女はネクタイを取り換え、一秒か二秒じっとして、「印象」を出そうとした。彼女は立ち上がり、新しいコートとスカートに身を固くして、しっかり眼鏡をして、ジャネットの落ち着きに応戦した。「はっきり言って、学校が好きになると思うわ、大丈夫」そしてさらに続けた。「見ていてくださいな。生徒たちはチンツ更紗のカーテンとパイプ式の暖房機や何かにはたいへん苦労するようだけど、どうやら勉強しなくてもいいのよ、もししたくなければ。一人ひとりの発展が目的だから。少女たちはバカみたいに見えるけど、学校紹介から判断するのは公平じゃないという気がするの。言うまでもないけど、私が彼女たちを好きかどうかにすべてがかかっているの」

「で、もし彼女たちがあなたを好きだったら」ジャネットは無邪気に言った。シオドラは厳しい目で彼女を見た。二人はソファに座っていた。「自然遊歩って、何なの?」シオドラが続ける。

「植物学ね」

「あら、まあ、あれか。あなたはいつ結婚するの?」

「十月に」

シオドラは満足そうに言った。「私、きっと学校にすごく馴染んでるわね、その頃には」彼女の目には花嫁は学校で二学期に入った少女と並ぶと、経験がないように見えた。他方、ウィラは思っていた、ジャネットの結婚式とローレルの結婚式に、同じ帽子をかぶっていいものだろうか? 少し変えればいい、つばに薔薇を一輪とか。誰も彼女の帽子などたいして見ていないと彼女は思った。アレックスだけだ——すごくうるさいのに、すごく無駄で、場面を観察し、男性陣からは距離を置き、あらゆる分岐点で人生を少し否定し、女性陣の介入からも、彼女らが張り合う競争心からも距離を置いている——アレックスは妻のいとこに注目していた、彼女は固いサテンのクッションに囲まれて背をまっすぐにしていとも優雅に座っており、控え目な様子で人々の中に入らず、不在を表明していた。彼は静かな唇にハッと胸を打たれ、愛してしまう恐れのある女性に挨拶を送った。彼は歩いて行ってうるさく音を立てているドアを閉めた。シオドラの最後のランチョンのためにチキンがガスオーブンの中で焼けていて、小さな応接間のほうにその存在を知らせていたからだ。

シオドラはチキンに気づいて喜んだ。当面、家庭生活には不満を埋め合わせる力がある。「これが私の最後の日だわ」彼女は厳かに言った。「ランチョンまで残っていらしてくださいな、お願い。

私が頼んだものはもう全部そろいました」

だが、悲しいかな、ジャネットは残れなかった。ローレルとエドワードとロドニーと、イオニデスでランチの約束があった。もう行かないと。

「そして、レディ・エルフリーダもご一緒？」

「いいえ、今日は違うの」

「ロドニーとエドワードは前に会ったことがあるの？」

「一度もないわ」とジャネット。

おそらくレディ・エルフリーダはがっかりするだろう。もしかしたら、とシオドラは考えた、彼女は仲間はずれになったら泣くな、と。彼女自身としては、そのような失望を想像できるはずもなかった。「私は道を外れている」彼女はメリフィールド校のことを思って腹を立てた。「私は屠殺場に引かれて行く犬みたい」そしてジャネットと一緒にリフトのドアまで行った。

「書いてね！」彼女は叫んだ。

だがジャネットは声を上げて「さようなら」と言い、見えなくなった。

間もなくチキンが平らげられ、シオドラは、付き添いなしを特別に希望して、メリフィールド行きの列車に乗った。

5

エドワードとロドニーがイオニデスに着いたのは、ローレルないしはジャネットが着く数分前だった。ジャネットはグロスター・ロードからの距離の計算を間違え、ローレルはドレスを二度取り換えたのだった。ちいさな入口の間を挟んでエドワードはロドニーを観察した。お互いに相手の人格への疑いが深くなった。ロドニーは金髪で体格がよく、見通せない様子に優位性があった。結局口を開いたのはエドワードだった。

ロドニーは礼儀正しく握手した。その冷静な表情はエドワードを一切受け容れていない。エドワードの気楽なよいマナーには騙されないことに自信があるようだった。もしかしたら彼はエドワードのことはもうよく知っていると感じていたかもしれない。応答の責任はエドワードに残り、彼は言った。「テーブルを取りました」

「よかった」

エドワードは生来の凝り性を隠すのに苦労していた。「僕としては」彼が言った。「ローレルには一時半でなく一時十五分と言うべきでした。彼女はいつも遅れるので」

「ジャネットはいつも時間は正確です」ロドニーは低い声で言った。「何かで遅れているんじゃないですか。何人かの人と会うのにケンジントンに行ったので」

「サードマン家ですね」

「らしいですね」ロドニーは同意したが、エドワードが情報通であることに驚いたようだった。

彼らは先に一杯共にしてもよかったのだが、エドワードはローレルがテーブルを探し当てられないのがわかっていた。誰かの座席にぼんやりと座り、あとでその間違いのことでエドワードを責めるだろう。彼らは煙草を投げ捨て、シガレットケースを同時に取り出した。エドワードはロドニーに一本差し出したが、ロドニーは自分のほうのを取った。ロドニーは好ましい人に見え、実直で不器用な若者で、コンシダインの遊民的なところはなかった、コンシダインは身も心も軽い女たらしで（エドワードはいまやそう信じていた）、ライオンを無頓着に射殺する男だ。

タクシーが到着する音がして、ローレルが見るからに美しくドアロに現われた、サマーグリーンのドレスを着ている。ワードローブで無駄に手間取る女ではなかった。「渋滞してしまって」彼女が言った。「予想できないことだわ。シルヴィアに引き留められて——あら！」

紹介する間、彼女はなぜか守りに入り、驚いていた。だが破壊的なおじの甥は微笑して、すでにその場を支配していた。すでに義理の弟だった。これ以外のことで彼女はロドニーを把握できなかった。憶測してみても、彼は実に愉快な人だろうということだけ。メガット家の男性は、と彼女は思った、自分の欲しいものを日常的に静かに手に入れる連中なのだ。彼らはバッツ・アビーとアビーの土地をヘンリー八世[*1]から手に入れたのだ。

「お会いできて嬉しいわ」ローレルはそう言いつつ、まだかすかな反感があり、他方、エドワードは、将来のミセス・メガットを内心とがめて、また時間を見た。ロドニーが真面目に愛想よくしているところへ、ジャネットが悠然とタクシーを降りて、金を払っている。ロドニーの表情が引きしまった。愛情が一瞬現われ、若きティルニー夫妻は、忘れられ、出て行きたくなった。彼らは自分たちの情熱を掻き集めて元気を出し、相手に優しくした。ジャネットは彼らにまんべんなく挨拶した。自分がどのくらい遅れたかなど、意識になかった。

エドワードは最高のランチを注文し、礼儀に重々気を付けたが、空腹ではなかった。ローレルは食欲旺盛に楽しんでいる。彼女は昨夜、闇に紛れてエドワードに「もう知らないわよ、私たち、いったい何を話すの?」と詰問し(彼は返事をしたが、顔を彼女の髪の毛に埋もれさせて、「君は可愛い」と言っていた)、彼女は我を忘れてしまった――母がつねに彼女に示したマナーの努力目標――すべてを平穏に持っていくことに専心したのだ。エドワードは、彼女を批判的な目で見ながら、考えていた、社交上の責任を深く意識させるには、チェルトナムに出てきてもらわないと、と。グリーンの帽子の下で、やや野性的に微笑しながら、彼女は白ワインを飲み、ひと息つくこともなく、メロンのピンクの果肉をひと匙すくいとった。そしてほどなくエドワードの視線をとらえ、スプーンを置いた。そこですべてに活気が出てきた。だが、あら、ディア、私、やり過ぎだった?「オウエン・ネアーズがあそこにいるよ」ロドニーはそう言って、彼女の視線を丁寧にリードした。そこへほどなくヒラメの皿が来た。

エドワードはローレルより愛想が悪いわけではなかったが、彼はガードをかためていた。ジャネットは一、二度エドワードのほうを慎重に見た。彼は小難しくなるのだろうか? 彼は誰にも「地位」に就いてほしくないのでは？　間違いなく「興味深い」人たちでいっぱいのこのレストランで、エドワードは思惑のあるその他の視線を挑発していた。彼の若さいっぱいの苛立ち、笑いに鼻孔を膨らませた、あまりにも見当違いな冷笑……。眉は丸く吊り上がって、長く見られると苛立ってくる。「いや、いや、君は間違っている。僕は公務員です。僕の感性は僕自身の問題です。ほかのほうを見てください、お願いだ」

そこでジャネットは、わざと見ないようにして、情熱的でない冷めた情熱で考えた、「私はあなたを抱いてあげる、ええ、そして走らせてあげる、私の掌の上で」と。

ランチョンの途中で、観察眼のある姉妹には、エドワードとロドニーが互いに好意を持っているのが明らかになってきた。若き女性たちは目配せするところだった。雰囲気が徐々に意識的でなくなり、会話には余裕が出てきた。エドワードとロドニーは知人の多くが共通していることを発見し、エドワードには彼らが前に会ったことがないなんて、あり得ないと思われた。「奇妙だなあ」彼は繰り返した。ロドニーがうなずく。彼が何を考えているのか、伝えることは誰もできない。彼はエドワードを見た瞬間からして彼が好きだった。そしていままでの騒ぎは何だったのかと思った。一度か二度エドワードは、マナーを後回しにして、パリで泣いていた母を思い出していた。なぜなら、何があろうとロドニーはおじのコンシダインを無視してはならないし、ジャネットにおじを無視していいと言ってはならない、これは決して忘れてはいけないことだったからだ。

「ジャネットが言ってますよ、あなたの屋敷は魅力的だって」ロドニーはローレルに言った。「ほかの人は誰もそう思ってないわ」彼女は感情をこめて答えた。そしてランチのあと、エドワードがホワイトホールに戻らねばならなくなったときに、段取りをつけて、ロドニーが姉妹をロイヤル・

アヴェニューまで車で送り届けることになった。

ローレルが見ていると、エドワードが名残惜しそうにしながら、急いで戻っていく。彼が何を考えているのか、ランチはどうだったのか、ロドニーがまごついていなかったかどうか、彼女はとても知りたかった。グリーンの帽子は本当に素敵に見えただろうか。ジャネットのことはあまりにも多くが不可能だ……。しかしロドニーがエドワードのことで少し手間取っている間に、姉妹は急ぎタクシーに乗り込んで、急いでキスした、それが説明になったかどうか。

＊1　ヘンリー八世（Henry Ⅷ, 1491-1547）、英国王、在位一五〇九‐四七年。結婚問題でローマ法王庁から破門され、英国国教会（The Church of England）を創設しその首長となる。以来、英国はプロテスタント国となる。英国国教会は「アングリカン・チャーチ」とも言われ、日本では「聖公会」と呼ばれている。

6

レディ・エルフリーダは、ランチはうまく行ったものと推測して喜んでいた。

ロドニーは、トレヴァー・スクウェアに六時頃に立ち寄り、ジャネットがまだ戻っていないのを知った（ローレルのカーテンのために、その午後は絶対にはずせなかった。姉妹はロンドン中をくまなく巡り歩き、見本をさらに持ち帰り、いまなおそれに埋もれていた）。そこにレディ・エルフリーダが、どこからともなく現われたのだ。手に手袋を持ち、明るい表通りを惜しんで立って、静寂と争っていた。応接間は、裏庭に鈴懸《すずかけ》の木が一本、明るい陰影の池の中で揺れており、それがそこにあるにもかかわらず無人の感じがした。彼女はロドニーを見て喜び、彼女の世界がテンポを取り戻した。もちろん彼らは昨夕すでに会っていた。

「おそろいでランチだったのね。エドワードは元気だった？」

「ええ、とても」ロドニーが言い、礼儀正しさが快かった。その大柄な体で、彼は彼女の暖炉の前を占めている。彼女は、男あっての女だから、感嘆の眼を上げた。彼としては、彼女を不運と見て準備していた。楽しい人だと思ったことはなかった。だが、おじのコンシダインのことだからと、ロドニーとしては多少なりとも憶測していたかもしれない。

「あら、そういうことね」彼女が言った。「エドワードは、そうなの、物の見方がだいぶ違うのよ」

「へえ？」とロドニー。そういえば、彼女は手に負えないと聞いていた。彼女は明らかに女性的《フェミニン》で、自ら選んでチャーミングに支離滅裂に見せていたので、彼は彼女を目先がきく女と見て、実際以上に抜け目ない人にしてしまった。「セックス」についてロドニーは、コンシダインによって楽しくて無慈悲な一般論で育てられたので、どの女についても時間をかけた用心深い判断で対応していた。「セックス」は彼の興味を引かなかった。いままで彼らは、人間として、ただ一つの特例において驚くほど似通っていた。舞台を張り出す適性があり、気づかないままにそこに立ち、そこに立てば、無意識で振る舞うのは不可能だ。ジャネットはどちらかというと「状況」には気づかないという男性的《マスキュリン》な要素で彼を喜ばせてきた。

用心して歩きながらもロドニーはレディ・エルフリーダという相手ができて楽しくてならなかった。若い女性よりも生きいきしていて、クッションを自分の周囲に寄せ集めながら、独特の無分別さで嬉しさを伝えている。ロドニーはゴシップにどうやって行きあたるのかがわかった。

「で、ローレルは？」

「じつに魅惑的で美しい！」

「あら、彼女を低く見ないでね、独自の個性を持った人よ」

「とても幸福に見える」

「彼女は結婚しているという事実が好きなのよ」

「ジャネットとはまるで違いますね」

「見事なくらい違うわ」彼女は力をこめて言った。おりしもシャムネコがロドニーの足をかすめて通り、彼は驚いて彼女をしばし見つめた。

「つまり、そうじゃなければ、ジャネットが姉妹を持つ意味はないようなもの。私はいつも感じるのよ、女性にあっては、鋳型はすぐ壊さないと、何度も何度も使うものじゃないって」

「へえ?」ロドニーが言った。

「ねえ、教えて。どこに住むおつもり?」

彼はためらったが、これはいずれ出てくる問題だった。「コンシダインは僕らにバッツに住んで欲しいんです。彼はあの地所を僕に譲る考えでいるようです。彼は海外が多く、あそこが閉じていると落ち着かないらしい」

「知らなかった、彼があそこをそんなに気に入っているなんて――」

「いや、彼はおそらく思ってるんでしょう、あそこが閉じているのを僕が嫌がっていると」ロドニーが正確に言い直した。「彼は約束しているんです、住まいを僕らと共にしようと、彼がイギリスにいるときは。彼は決心したようです、ジャネットが――」

「でもジャネットは言ったのよ、あなたたちはロンドンに住む予定だと」

「僕がそうすべきだと彼女が感じているのかもしれません。僕らは二人ともロンドンには住みたくない。だからと言って、僕らにはわからない、どうなることやら――」

「あら、バッツをもらったらいいのよ、彼がくれるなら。彼のしたいようにさせるほうがずっといいことだし」

彼女は断定的にそう言い、彼の見るところ、自分なら最高の妻になれたと言いたいのだ――おそらくコンシダインにとって。彼女は続けた、「どうなの？　あなたのここの仕事は、世間でいうほど面白くないんじゃないのかしら、どうなの？　それに、なくてはならないものじゃないし。私はもう何年も〈お名前〉は存じ上げているけど、彼は誰も昇進させないでしょ。彼はあなたを高く買っていると聞いてるけど、それで激励しているわけじゃないの。彼は自分が売り出し中で、それも長くやりすぎよ」と。

「僕は野心的ではないようです」とロドニー。彼女は察しをつけた、彼は野心的とは何を意味するか知らないのだと。彼には、価値観、美徳、イギリスについての強い感覚があった。何事かを推進させたいと願っていたが、自分のためではなく、何かを強化したいのだ。

「バッツでは？」彼女が言った。

「ぜひとも農場に仕上げたい。いまある果樹園は壮大なんだけど、林檎が季節に間に合ったことがないんです。芝生に落ちて腐ってしまう。土地はどこも肥沃なのに、開拓が進んでいないから。僕が始めないと――」

「ああ、ご自分のやることがわかってるなら、それで決まりだと思うわ」彼女は、飲みもの一つすすめていないのを思い出し、背後のベルを押した。

ロドニーは息ができなくなった。将来が勝手に定着したような気がした。彼がサイフォンに手間取っている間、彼女は笑っていた。「クリスマスにはいつもみんな一緒ね」バッツは彼の気に入るものと彼女は決めていた。ジャネットには完璧な人生になる、ジャネットの子供には完璧な場所になるだろう。エドワードについて、子だくさんであることが役に立つと彼女は思った。孫のこととなると、彼女とコンシダインは一世代を成すのだ。ロドニーが実感できないのは当然だが、いかに悲しく、いかに可笑しいことか、彼女が考えるクリスマスとは。若きメガット家の親戚は、あり得ない結びつきになるだろうから。スタダート家とティルニー家にはコンシダインの顔を見たい者はいないし、彼女と一つ屋根の下に長くいられる人は皆無に近い。この嘆かわしい事実がしばしば脳裏をよぎるとき、彼女は悔恨の想いにもっとも近づくのだった。

エドワードがファミリー・クリスマスを過ごすなど、彼自身の知らないことだった。彼女自身の家族は、「集まること」が滅多になかった。彼女としては、もっとも粗末な祝祭を上演した。一つ憶えているクリスマスがあった、あれが最後だった、彼がまだ幼い少年時代のことで、お祝いめいた表情を無言で見交わし、彼と彼女は、ピカピカ光るモールのついたツリーの枝の間からブルーとピンクの炎が揺らめく蠟燭を前にしていた。彼女が最後に火を点《つ》けた。エドワードは、揺り籠にいた頃から礼儀正しくて、サプライズにしっかりと驚いてみせた。彼女が用意しているのを何日も前から知っていたが――「お母さまは買い物に」と彼は言ったものだった、「僕がよそ見をしているうちに」と。ビロードの服を着て一人ぼっち、彼はツリーの根元のグループに交わろうとした。モールに火が点いて、彼の小さな顔が一瞬活気を見せた。

「ずいぶんたくさんのプレゼントがあるね、小さな子供が一人なのに」彼は母が六つ目を開けた時に言った。コンシダインは小さなクマのぬいぐるみ《スタッフド・ベア》を彼に贈ってきて、それがツリーのそばにまっすぐに立ち、茶色の紙を頭にかぶっていた。それは詰め物をした本物のクマで、手足が動かないクマで、首と手足の関節が動くテディ・ベアではなかった。エドワードは、テディ・ベアが欲しかったので、黙ってそのクマの手足を引っ張った。「それが本物のクマなのよ、エドワード」「知ってるよ、前はね」そのクマは死んでいて、エドワードの顔から血の気が引いた。これに囚われたのか、その他の正体不明の失望もあって、彼はすぐあとで泣き出して、早く寝たいと言った。彼女はコンシダインに来ないように言い置いていたので、蠟燭と焼け焦げたモールの逃げ場のない臭気と、エドワードはバンというクラッカーがはじける音が怖いので、やむなく彼女が自分の両手で引っ張ったクラッカーの臭気が漂い、その夕刻は空しさに捧げられた。彼女はその夜真相をつかんだ——その次の夜、彼女を慰めるために彼女とコンシダインがあまりにも急いで、あまりにもムードたっぷりに会ったときに——快楽における失敗はどれも逃れられない……。無関心が平等という一線になって、日々が過ぎた。そしてさらに彼女は見てわかった、遠くからエドワードを気紛れにまた同時に警戒心なく愛しながら、彼はどこから見ても普通の子供だったことが。

　クマのことでコンシダインに礼を言った者はいなかった。彼女はいま自分自身に感性がなかったことを認め、奇妙な見方をした誰かが彼のことを哀れな奴と言ったとき、それが彼女には驚きだった。だが、彼の善き友として、彼女が彼にとって最善であれと願う友は、彼が不在のときの固い節操だった。彼は集まりを好み、そのもてなしぶりは有名だった。コンシダインはバッツに、全員を集合させたかっただろう。エドワードと美人のローレル、気持ちが休まるスタダート家。彼の横柄な気紛れにとっても、難問は一つも出てこないだろう。彼はほとんどすべてを忘れていた。彼女の目には明らかだった、スタダート家の戸惑い、そしてエドワードの硬直が。ローレルが明快に頭をそらせて拒否を示した。コンシダインが感傷的に傷ついたとは考えたくなかった。おじと認められないのは悲惨だろう。

「コンシダインはあなたの結婚式に来るの？」

「知りません。彼はまだギリシャにいるし――」ロドニーは言葉を切って、彼女は知っているのではないかといぶかった。「そうなの？」と彼女。「恋愛中かな？」と彼女は思った。

「私たちは、滅多に会わないの」彼女は自然にそう言った。「たまたま会うだけ。偶然って、なかなかないわね」

「ジャネットと僕は偶然でした」ロドニーは機嫌よく自分を引き合いに出す《エゴティズム》方法を取った。彼はいま、彼女が思っていた以上に、若かった。彼はそこできわめてかすかに赤面した。なぜならエドワードのこの不幸な母親は――いまは満足そうに猫の背中を撫でている――、彼自身とジャネットにとって、ほとんど悲劇と言える最大の偶然だったからだ。圧倒するような華々しさで、婚約という暖かな水面を襲う氷山となって、彼女は彼らを難破させんばかりだった。

その夜、彼らは遅く外食することになり、盛り上がった。レディ・エルフリーダ、ジャネット、ロドニー、そして会う必要があるルイス・ギブソンだった。ジャネットは彼に会ったことがあるか？　それは不問とされ、彼らはまた会わねばならないのだ。ルイスはエドワードの親友だった。彼はエドワードの母親を最初から完全に理解し（彼は自信があった、エドワードより理解していると）、ときどき呼び出されて彼女の説明をしてきた。ジャネット－ロドニーの進展は、ルイスが心から願っていたことだった。ディナーの間ずっと彼は優しい思慮深いまなざしでジャネットを困らせていた。エドワードの結婚式で彼はベスト・マンだったので、花嫁の妹のことはほとんど見ていなかった。二人とも心に残らなかった。だがいま見る彼女は美しい創造物。メレディス[*1]の伝統を受け継いでいるが、ありがたいことにまったく無言だった。

ルイスは深夜、エドワードに電話した、すべて順調に行くだろうと。

＊1　ジョージ・メレディス（George Meredith, 1828-1909）、英国の詩人、小説家。代表作『エゴイスト』（*The Egoist, 1879*）の中で、メレディスは女性の解放に関心を示している。なお“egoist”と“egotist”は、前者が「利己主義者」を意味し、後者は「自己吹聴癖の人」を意味し、話しの中で**I, my, me**を多発する人のことを指す。

7

ルイス・ギブソンには妹がいて、マリーズといい、メリフィールド校にいた。彼女は学期の中間《ハーフ・》休暇《ターム》に新入生の少女たちが来るのを承認していなかった。礼儀正しく、シオドラを黙殺し、拒否する姿勢を見せつけていた。マリーズは表情が寂しい金髪の少女で、後ろで二本にしたおさげ髪があまりに強く引っ張るので、両眼の目じりが吊り上がっていた。だがシオドラにはその意味で、いいところがあった。シオドラはほとんど全員の外観が嫌いだったのだ。マリーズの胸についているセカンド・イレヴン[*1]の色リボン、夏なのに半分も赤切れが消えていない両手、ボタンが一個とれてなくなっている靴を、皮肉な目で観察していた。シオドラは最初から強い立場を取るように強いられた。最初の夜、寄宿舎にいるほかの少女たちはみなパジャマを着ていることがわかった。少女の一人は山賊に捕まりそうになった。一人はメキシコを旅していた。みな兄弟がいた。誰一人スイスには興味がなかった。

彼女らは小さな寝室でカーテンを上げたまま服を脱ぎ、ジョージ王朝時代の詩[*2]の議論をした。べルが鳴るといっせいにカーテンを下ろし、お祈りをし、不可知論を信じている一人は祈らないでベッドに入ると、敬虔な音を立ててベッドが軋んだ。マリーズ・ギブソンは寄宿舎のリーダーだった。二度目のベルが鳴ると、彼女が「消灯」と言う、まだ六月で昼間の明るさだった。彼女は隣のベッドのシオドラに丁寧に言った。「家が恋しくないといいけど?」

「いまのところ、私には家がないので」シオドラが言った。

「まあ——失礼しました。でも私たち、お洋服はいつもきちんとたたむのよ」そしてまた繰り返した。「消灯!」名誉ある静寂が訪れた。

シオドラは面白そうな写真を数枚化粧台の上に出しておいたが、数日たっても誰も写真を見なかった。銀製のブラシを出したら、マリーズがそういう物はバッグの中に入れるようにと言った。日中、シオドラは監視されていた。彼女はすぐ眼鏡を壊してしまい、教室では最前列に移り、算数の時間にはそこから黒板を見る必要があった。フランス語のときはフランス語を喋りまくり、先生《マドモワゼル》は何年もフランス語を使っていなかったので、混乱して不安になった。午前中の休み時間に、シオドラは体育館のピアノでラフマニノフの序曲ハ短調をガンガンと弾きまくり、ついに先生が覗きに来て、いまは休み時間だから、外に出て走ったほうがいいと言った。お茶の時間、彼女はテーブルのはじの空いたところに座った。新入生には優しい少女が隣に移動してきて、家のことを訊いた。

「私はじつは、家がないの」シオドラは答えた。

「クリスティーンも今学期、入ってきたのよ」親切な少女がテーブルの向こうに向かってうなずきながら言った。「彼女のお父さんは死んだの」彼女は小声で言い添えた。だがシオドラはほかの新入生のことはわかっていて、彼女らを避ける方法を学んでいた。

彼女はまずジェナに自分を印象づけた。苦しみを収集している少女だ。シオドラは新入生をあと二人知っていて、一人は中国人、ネズミに関係があるらしく、もう一人はイタリア人、体重があった。ジェナは生きいきしていて、すぐ仲良くなり、シオドラに訊いた、使われている地下壕に入ったことある？　ノイローゼはメリフィールド校では非常に高く評価されていた。三日目の夜、シオドラは自信たっぷりに金切り声を上げた、蝙蝠《こうもり》が寄宿舎に入ってきたのだ。同室の二人、ジェインとルドミラはヤスデが恐怖の対象だった。次の日、休憩時間に、彼女らはシオドラにお庭を歩こうと声をかけた。だが彼女らは「まだ子供」だった。シオドラは、あたりを見回してジェナを空しく探しながら、お部屋にいて手紙をたくさん書かなくてはならないのと二人に言った。

「だけど、お部屋にいるのは許されてないわ、休憩時間に。走り回ることになってるのよ」

「みんなでどこまで走るの？」

「苗床小屋に座っていることが多いけど、ときどきモルモットを檻から出して追いかけるの。時間内に捕まらなかったら、ドリルをさせてもらえなくなる」ということで三人はぶらぶらと菜園に降りていき、ラディッシュを食べた。シオドラはさらに移動してニンジンを食べ、ほかの少女たちはそれを見て唖然とし心配になった。「マイ・ディア、あなた、きっと謹慎になるわ！」シオドラは泥がついた口で、幾可学に入った。

「シオドラ」先生のミス・ミルフォードが悲しそうに言った。「何をそうやって吸っているんです？」

「すみませんが、泥が口に入っていて」

「浴室に行って口をすすいだほうがいいわ。……ジェナ、面白くなんかありませんよ……。ヘスター、どうしてとなりのエリザベスをつつくの？……シオドラ、静かに出て行けないんですか？」

総じていえば、彼女は愉快な騒動を起こす名人で、そのときマリーズは瞬き一つしなかったが、その夜、立ちどまってシオドラの写真をじっと見つめた。

「どうしてよ」彼女が言った。「ティルニー家の結婚式じゃないの！」

「ええ、そうよ。どうして？　彼らを知ってるの？」

「兄がベスト・マンをしたのよ」

「まあ、見ものだったわね。覚えてるわ。あなたは見かけなかったけど」

「ハシカになっちゃったの。ティルニー家のことは、よく知ってるの？」

「スタダート家は、私の古いお友達なんです」

「あら？　私は知らない人たちだわ。ローレルは本当にきれい」

「彼女は私のタイプとは言えないの」シオドラが言った。「ジャネットにはもっと個性があるわ。彼女が私の憧れの的」

　みんなが聴いていた。シオドラはストッキングを脱いでその辺に放り投げた。自分のやり方を気にしていないようだ。マリーズは、ポニーテールを強く引き締めて、権威をこめて言った。「レディ・エルフリーダって、難しいわね」

「あら、そう思う？」

「兄は全然大丈夫だけど」彼女は慌てて言った。「彼女を理解しているわ。でもほとんどみんな理解しているわね」

「彼女を理解するの？」

「いいえ」マリーズはむっとして言った。このときベルが鳴り、みなひざまずいてお祈りをした。結婚式のことは、その後数日話に出なかった。マリーズは、みんなで面白がってシオドラをけしかけないでねとジェナに頼んだ。ジェナは、私はけしかけたことはない、シオドラは頭がおかしいのだと思うわと言った。

「けしかけてるわよ」とマリーズ。「彼女をバカにして笑ってるでしょ。でも見てよね、彼女は真剣にチェロの練習をしてる。ただ一つ彼女にあってはならないことは、注目されることなの。彼女はたぶん良い友達を作るためにここへ送られてきたのよ。ジェナ、こう言っても気にしないでね、あなたは恐ろしい話をして、もっとも危険な人たちと親しくなってる。あのハリスっていう子など、若い男がたくさんいるわ」

「マイ・ディア、その話なら、私もあなたに教えてあげる。あの子はとっても汚らわしい心を持ってるの。でも、ねえ、マリーズ、私は人間性にすごく関心があるのよ。だけど、まさかシオドラに若い男がいると思ったことはないな」

「彼女は誰かに自分を印象付けるためなら、何でもすると私はやっぱり思う」

メリフィールドの少女たちは性格に対する感情を非常に早く発達させた。自分たちの個性に興味があり、その個性を発揮し、議論して直していった。お互いをはっきりと意識し、礼拝堂やコンサートのときにお互いの人物を分析《プロファイル》した。日曜日の午後は心理学の読書会をした。みんな知っていた、例えば、ジェナが嘘をつくのは環境に対して神経質に反論するから、マリーズがともかく生きているのは、圧倒的な秩序重視を打破しなくてはならないから、ヘスターは自らの頑固さで六歳の時から友情をすべて台無しにし、ルドミラは悪い遺伝のせいでゲームのときに悲鳴を上げても無視しなければならない、など。

というわけで、ジェナは（自分を必死で正当化するので悪名高い）、あとでマリーズにまた持ちかけた。「もし私たちがみんなシオドラに我慢できないなら、それはシオドラが攻撃的だからに決まってるわ、そうじゃない？　どういうことかというと、彼女が恐ろしいとか、匂うとかでもないし、まったく下等だとかいうんじゃないの。不思議な気がしてきたわ、どうして彼女は――」

「彼女はたしかに攻撃的ね。髪の毛を結うのだって、化粧台にいろんな物を散らかすわ、まるでお料理をしているみたいに」

「きっと不幸なのよ」

「私たちより不幸だとは思わないけど」マリーズが困ったように言った。

「でも私たちは、少なくとも自分が不幸なことをちゃんと知っているわ」

マリーズは、話がどこに向かうかを察して、言った。「そうね、一学年目で彼女にそれを訊いてみる必要はないと思う」

「彼女はたいへんな個性の持ち主だと思うけど」ジェナが残念そうに言った。

「じゃあ、あなた、訊いてみたら。あなたの部屋に彼女がいるでしょ。ああ、そうだ、彼女のいびき」

六月はその年優しく過ぎ、メリフィールドは美しかった。どのクラスもみな木の下に集まった。少女たちは、フレンチドアから出たり入ったり、芝生の影から影へと赤いチュニックがひらひらと横切った。ライムの花が誰かのフランス語の本に散り落ちてくる。シオドラは眼鏡の目を少し凝らした。彼女は土曜日の夜の演劇の一つで若い男性に扮して成果を上げた――即興の、リハーサルもない行事で、いちおう「コンメディア・デラルテ」[*3]のつもりだった。

「あなたは見事な男性になってたわ」ジェインとルドミラが言った。

「男は両肘を外に張って歩く、女は肘を中にして歩く」シオドラが請け合った。「前にそう言われたことがあって、その違いは大きいわね」そしてドン・ジュアンをやるべきだと匂わせた。ジェナは、こういう感化を受けやすい子で、大いに賛成した。彼女はこめかみのところで髪をリボンで結わえていて、ヴェラスケスの少女[*4]のようだった。彼女は表に出せないほど情熱があることを自覚していた。タイツはやめて、貴族や従者は古代ローマ市民の衣裳のトーガを着て歩かねばならず、しかし女校長のミス・ビングは、発想は素晴らしいと言った。

「あなたって、眼鏡がないと、すごく違うのね」スペイン語の先生のドーニャ・アンナが浴室のドアにたたずんで、言った。

「私たち、いままで演劇でこれほど愛を扱ったことはないんです」ヘスターが加わってきて言った。

「普通は、恋人たちをそっと立ち去らせるように持っていくんです。つまり、シオドラは並外れていると思います」

「自意識って想像できないような気がする」シオドラはそう言って、足を少し広げて立った。

「耳がくすぐったかったわ、あなたがキスした時」ドーニャ・アンナが考えながら言った。「今度は息を止めて欲しいわ」マリーズも完全に「銅像」になって、どこかほかの場所で、耳の中から粉を洗い出した。ドーニャ・アンナがふと言った。「お庭を回ってから、お祈りしましょう」

だが次の週、ミス・ビングが強い口調で、民謡を劇にするべきだと提案した。あなたたちのプログラムが変化するのが望ましいの。だから、マリーズがスペインの船長として見事だった一方、シオドラはスモックドレスを着てふくれていた。その夜、マリーズは寄宿舎で明るく言った。

「ルイスが手紙に書いてきたわ、ジャネット・スタダートの婚約が破棄されたって！」

シオドラは熱烈に反論した。「そんなの信じない！」だが考えないではいられなかった。「ここは私の出番かもしれないぞ？」

「そうね、誰かに自分で訊きなさい」マリーズは静かに言った。「私は、あなたが聞いていると思っていたわ、あなたは彼女をよく知っているのだから。ルイスが言うには、何かトラブルがティルニー家のほうにあったみたい」

「あのいやらしいエドワード！」

「そうじゃないわ。彼には異常なほどの感受性があるのよ」

マリーズはエドワードを理解していた。二人は最上の関係を保ってきた。彼女は、一時は、こう考えてもいた、自分自身が品格のある成熟期に達し、エドワードがあと二、三年苦しんだら、二人は結婚することもあり得ると。

シオドラが爪を噛みながら月光を浴びていた。だからロドニーは、見たところ——彼女が恐れているように、また希望しているように——半分も男ではないように見えた。次の日、日曜日なのに、彼女は礼拝堂をやめにして、用心しながら電話に近づき、レディ・エルフリーダを呼び出した。メリフィールドのウィリアム・モリスの壁紙は日光を浴びて鮮やかだったが、トレヴァー・スクウェアの朝は足音をしのばせていま、カーテンと手も届かない沈黙に刺された受話器の間に入ってきた。

「どなたですか？」

「私には思いつかない」レディ・エルフリーダが枕の上からぼそっと言った。「悪いけどさっぱりわからない――」

「ミセス・アレックス・サードマンですが」シオドラがはっきり言った。

「あら、素敵。でもジャネットは家に帰ったばかり。電話はチェルトナム、六二二の――」

「彼女の婚約はどうなんですか？」

「ええ？　婚約してしばらく経つわ、ええ。車で家に帰ったの、ミスタ・ギブソンと。彼はいい人、でしょ？」

「誰が？」

「ミスタ・ギブソンよ。彼はエドワードと長く話していましたよ。あなたが何を聞いていても、私は違うと言うわよ」

「どういうことでしょうか――」

「あら、まあ、番号間違いかしら？　私たち、同じ話をしていないみたいね？　私の言ったことは、どうか忘れてね。とっても眠くて――シクタス――ごめんなさい、うちの猫が朝食のトレーの上を歩いてるの――ダメよ、シクタス、グレープフルーツはダメ――。さてと、私たちが言ってることが何であれ、問題ないわ、大丈夫だから、ミセス・サードマン。ロドニーは十二分に信頼しているわ、あなたもそうでしょ？……お話しできて素敵だった。またぜひ会いましょう。一度お会いしたわね、違う？　バイバーイ」

ミセス・サードマンは楽しく受話器を置いた。シオドラは、お株を奪われて癪に障ったが、そのまま学校のモリスの壁紙をじっと見つめた、オレンジの木が何本も繰り返し描かれて、広く枝を張っている。彼女は2Bの鉛筆を取り出して、眼鏡をかけたサル、ルイス・ギブソンの絵を描き、ぐちゃぐちゃにした。それから寮母を見つけて、鼻血が出て心配なので、礼拝堂には行けないと言った。「いったん出ると、流れるほど出るんです」彼女が言った。「いつ止まるか、誰にもわからないの。大事にしたほうがいいと思って」寮母は彼女を休ませた。
手紙の返事に、ジャネットがチェルトナムから書いてきた。

ディア、シオドラ、

お手紙、どうもありがとう。心配させて、ごめんなさいね、ことにいまは学校も忙しく、することがたくさんあるでしょうに。すべて大丈夫だし、私は不幸じゃないから、あなたは元気を出してください。ミスタ・ギブソンは、そのつもりもなく大袈裟だっただけで、すべてがうまく行くよう、親切に心配してくれています。彼はいろいろとトラブルがあって、真夜中に母に電話してきて、私が次の日に帰るから、どうかご心配なくと言ってきたそうです。母がご親切に感謝していると、彼の妹さんのマリーズに伝えてくださいね。母は眠っていたので、苛々しているように聞こえたのでは、と心配しています。あなたのお母さまにもご心配なくと言ってください。母が何を聞いたのか、私にはわかりません。レディ・エルフリーダがおっしゃるには、母は惨めになって電話してきて、我を忘れているようだったそうです。私の取り決めに関しては、誤解があったというだけのこと。父はエドワードに管理人として行動するよう求めていたけど、書類が半分まで行ったときに、エドワードにはできないことがわかったの。だから、それだけのことだったの。ローレルは少し心配して、もしかしたら大袈裟にミスタ・ギブソンに伝わったかもしれません、彼が大いに同情していたので。
でもまったく大丈夫なので、どうか心配しないで。眠れないこともないように！　怖いことだわ。私はいつもよく寝ています。ロドニーと私は十月に結婚する予定です、もうお話ししたわね。みんなで来てね。あなたがメリフィールドの女学生のことをあとでもっと好きになるのを期待しています。人は最初バカに見えることがよくあるわ、とくに大勢いると。あなたは演じるのが好きなのね、嬉しいわ。ええ、あなたの演技をいつか見たいわ。ご親切ね、私のこと思っていると言ってくれて。こういう機会に、グッド・ラックと願ってもらえるなんて、嬉しいに決まってるわ。お手紙書くって、私、言った？　ごめんなさいね。
お礼を言いたいプレゼントが山ほどあってね、ラグとか時計とか。コンシダインおじさまは車のベントレーを一台くださるって。この手紙、バカっぽくて、心配です。書くのに長い時間がかかった気がします。

愛情をこめて、あなたのものなる

ジャネット

追伸――まったく同感よ、音楽の先生のことは。

学期が進む間、この手紙はシオドラのキャミソールにしまい込まれ、だんだんとこすれて柔かくなり、ついにはカサカサ音を立てなくなった。最後には、ブラウスの襟元から滑り落ちた、平行棒で逆上がりをしたときだった。彼女はルイス・ギブソンのことを彼の妹マリーズに打ち明けた。彼女が言った、私は彼をお節介男と呼ぶわと。夜中、階段の途中で、シオドラはジェナに愛の主題について問い詰めた。

「いいえ、あなたは間違ってる」シオドラは言った。「愛はいつも内部で動いている何ものかだわ、あなたの胃と同じように。何もそれを変えられないの、いくら人間でも」

「それじゃあ全然面白くならないじゃないの、シオドラ」

マリーズはのちに、シオドラは少しも正しくないと指摘した。だって、いくら胃でも、消化する合間に休憩するに決まってるでしょ？

＊1　クリケットは十一人でするゲームで、セカンドは競技大会で二位に入ったしるしのリボンか？

＊2　ジョージ王朝時代はジョージ一〜四世時、一七一四〜一八三〇年までを指す。ワーズワース、コールリッジ、シェリー、キーツの詩を指すか。

＊3　十六‐十八世紀に流行したイタリアの即興喜劇。

＊4　ヴェラスケス（Velazquez, 1599-1660）、スペインの画家。フェリペ四世（1605-65）の宮廷画家、代表作『ラス・メニナス』は華麗な少女の肖像画である。

8

喧嘩、つまり残念な出来事が、ジャネットの婚約を一日宙づりにした。彼女自身とロドニーの間には不都合は一つもなかった。トレヴァー・スクウェアに不運な登場をしたのはエドワードだった、なだめがたい熱気に閉じられていたバルコニーのフレンチドアがある晩、夜間に忘れられて、開いたままになっていたのだ。時間は九時、彼は遅くまで仕事をしていた。入ってきたらジャネットが彼の母親といて、彼に向けたのではない微笑を遮ったのが火を見るより明らかだった。彼は座った――そこが家だったことは一度もなかったが。彼の態度の何かが母親を部屋から追い出し、わざと逃げ出したように見えた。彼女は支那の花鉢に活《い》けかけていた芍薬《しゃくやく》を数輪投げ出していた――彼女は花はもちろん、何でもこなした、普通でない時間帯に。芍薬がテーブルから落ちていた。エドワードは膝をついて家具の間に落ちているのを探し出した。ジャネットは、残った照明の中に立って、言った。「あら、あら」彼は投げやりな彼女に憤慨した。

「どうしてこんな暗がりにいるんです？」

「知らなかったわ――暗がりにいるの?」ジャネットが言った。互いによく見えたからだ。彼らが喧嘩を始めるのは明らかだった。エドワードは、最後の芍薬を拾い上げると、楽しすぎる言い方で言った。「僕の母は一人でいることはないんです、ええ」

「私は金曜日に帰ることに」

「僕を誤解している――」

彼女は誤解はしていないことがわかっていた。「ローレルは元気?」

「この暑さに怒ってる」

彼女は、微笑したのかしなかったのか、ソファに座って、謎めいて自分を相手にしていた。「でもティルニー家は」エドワードが続けた。「だいたいが働き過ぎに見える。ロドニーは気づいてますか?」

「ロドニーが? あら、いいえ、どうして? あなた、誇張してるわね。私はもう寝室に引き取るから、レディ・エルフリーダとお話しになったらいいわ」

「でももう九時だ」

「だったら、私は本を読むわ」

「本など読まないでしょ、読むの?」

「読めるのよ」ジャネットは笑い声が聞こえそうな微笑を浮かべて言った。

「どうしたのかと、君は訊いたことがないね、違う? 君はきっと気づいていないんだ」

「あら、私はあなたが少し奇妙だと思っていました。疲れてるのね、エドワード?」

「いや、まさか」彼は皮肉に言った。家庭では、彼はすでにローレルをからかって泣かせていた。

「どうして僕が疲れるんです？」彼は新聞を拾い上げ、夕闇の中でそれに目を凝らし、一段上げた声で冷静に、朗読するみたいに言った。「いいかい、ジャネット――いや、よくないかもしれないが――物事は最善の時でも、難しいんだ、そして君の態度は物事を不可能にする」

「私に態度があるなんて、知らなかった」ジャネットはそう言い、本当に驚いていた。

エドワードは皮肉な沈黙を保っている。

「だけど、エドワード、私たち、喧嘩している場合じゃないわ。お願いよ……。うまく行きそうなことでも考えてよ。私たち、生涯親戚なのよ。つまり、私たちはいつも一緒に過ごすのよ、そうでしょ、クリスマスとかその他すべてでよ？ ローレルと私が切り離されるなんて、あり得ない。生きている限り、そうね、五十年くらいかな、いつも顔を合わせ、いろんな段取りについて話すんだわ。少なくとも、私たちはそう育てられたの。家族って何なのか、わからないといけない。普通でいることもできるし、とことん話さないでもいいの。私がメガット家のことを残念に思っているなんて、あなたに言ってほしくないの。すべて了解済みと私は思ったの。何事であれ私は言い方を知らないし。私が彼らと結婚するのは、あなたを困らせるためだと、本当に思ったの？」

「僕が思うはずないでしょう、君が僕を困らせたがっているなんて？」エドワードの返事は冷ややかだった。彼は手探りで次々とスイッチを押し、照明が全部ついた。彼は目をしばたたいた。こうしていま、部屋から去った暗闇は彼を宿しているみたいだった。あとでこの時を振り返ってみたとき、彼はある種のねじれに苦しみ、そのねじれは彼女が課したものと見ていた自分がわかった。ソファから立ちあがった彼女の顔はまったく読めず、伏せた視線で彼の注意をそらしていたが、彼は口を開いた。「ロドニーのことを愛していたなら――」

ジャネットは眼を上げた。

「私としては」彼女が言った。「ローレルが一切あなたを知らないでいてほしい。あなたは意地悪な、恐るべき子供そっくり」

彼らはそろって五十年の歳月を思った。エドワードからほの暗いが間違いのない美徳が逃げ出してしまったようになり、彼は感情に見放されていた。「君は誇張するね」彼は探るように言った。彼女はいま言われたことが彼が嫌うほど嫌いではなかった。だが彼は考えていた、口を開くのは彼女のほうだと。彼らはなんとかして戻らなければならない。だが彼女は二度と彼のほうを見ずに、二つの時計に時を刻ませ、最後の出発車両——全ロンドンの家具を運び出す貨車のような音を立てるトラック——に重い鉄の鎖を引きずってブロンプトン・ロードを進むにまかせた。彼女には、慈悲の心がないわけでも、言うことが何もなかったわけでもない。エドワードは部屋を出て、家に帰った。彼女が彼に禁じたため、彼はおやすみなさいとも言わなかった。

彼の訪問は短かった。レディ・エルフリーダは、階下に降りるつもりで寝室の踊り場から下を見たら、降りて行く彼の頭が見えて驚いた。もちろん彼女は自分を責めた。天井の低い長細い部屋は、ジャネットが一人、致命的にわびしいものがあった。ランプだけがギラギラしていた。部屋はたやすく本来の姿を取り戻せない、笑い、矛盾した言葉、楽曲の思い出。レディ・エルフリーダなら、たちどころに自分を取り戻せただろう。「帰ったの？」

「帰らないといけなかったの」ジャネットが言った。

エドワードは打ちのめされて家に帰った。それが屈折してローレルにしつこくあたったが、彼女はその夜、もうめそめそしなかった。翌朝、ローレルはタクシーでジャネットを訪れ、そこで泣いた。「ジャネット、あなた何てことを彼に言ったの？」彼女にはわかっていた、正しいのはジャネットで、ジャネットには歯が立たない。彼女はジャネットに懇願した。もっと親切にしてあげてと。ここでロドニーの到着が告げられた。ジャネットは階段で引き留めた彼と会い、婚約を一時、破棄した。ロドニーは、彼女が本来の自分ではないと見て、六時に戻るからと言い、察しをつけて出て行った。彼は知っていた、女たちは、ジャネットですら、感情的な家庭生活を送っているが、彼と彼女は十月には結婚するだろうと。その間、レディ・エルフリーダを彼女のものである応接間に寄せ付けないわけにいかない。彼女には、ローレルはなぜ自分が泣いているのか知らないのだと説明する必要があった。彼女は即座に言った、ローレルに赤ちゃんが生まれるに違いないと。ローレルは断固として赤ちゃんじゃないと否定した。レディ・エルフリーダはとにかく女であることは惨めなことだと言い、彼女にバレエの切符を二枚上げた。エドワードからジャネットへのメモが特別な使者によって届けられた。彼は何一つ覚えていないことにするようにとメモで要求していた。彼女は返信した。「当然です」レディ・エルフリーダの友達が三人、ランチに来た。五時にルイス・ギブソンが新車で現われて、ジャネットに公園を一回りしないかと言った。見ると、ジャネットは荷造りをしていた。私が本当にしたいのは、と彼女が言った、チェルトナムまで送ってもらうこと、だが今日でなく明日に、と。ルイスは感激して了解した。レディ・エルフリーダが彼を引き留めたが、彼はその夜は時間があって、メリフィールドにいる妹マリーズに手紙を書き、エドワードとミセス・スタダートに電話した。

　次の日の朝、アクスブリッジまでジャネットは悲しむホルバイン[*1]みたいに座っていた。ハイ・ウィコムで彼は彼女を笑わせ、オクスフォードに着く頃には彼女は楽しそうに周囲を見回していた。

午後の光が何年分もコッツウォルズに蓄えられていた。ルイスは車で細い尾根伝いの道を駆け抜け、同乗者に地平線と空を絶えず見せていた。チェルトナムが木々に囲まれて白く見えてきて、ロンドンより豪勢な町に見えた。周囲の丘陵にはそれぞれに庭がある別荘群が快適な斜面に点在し、デッキチェアのような傾きで目を楽しませていた。ルイスはお茶のことを思い、ジャネットは疑いのない哀しみの誕生を思って気持ちが少し軽くなった。

コランナ・ロッジに着くと、ロドニーが彼女の父親と一緒にテニス・コートにローラーをかけていた。プレゼントがいくつか届いていて、長い手紙はエドワードからで、彼は自分が狂っていたにちがいないと思うとあった。ロドニーはジャネットにキスし、昨日の話はしなかった――彼らはもちろん結婚するのだ。庭はブヨが出たせいで薄いネットが掛かっていた。お茶はドアの外に出てとった、柳の木が太陽を受けた小さな葉をしたたらせて泣いている。ルイスは大いに笑わせ、スタダート大佐は、この若者が好きになり、娘二人がいなくなったら自分はどこにいたらいいのだろうと言った。ルイスは、エドワードへの手紙を作成中で、熱心に答えた。「あなたはまた結婚しなければなりません」一方、ミセス・スタダートとジャネットは一緒にプレゼントを開きながら、ロドニーがルイスと仲がいいのは素敵なことだという意見で一致していた。

その日の午後は七月へと進み、ある継承が生まれた。個人的な静寂が居座り、天候は安定していた。何一つ、ジャネットが何年もあとに振り返って確かめてみても、何一つその日の午後は特別なことではなく、ルイスの映像だけ、芝生の上でブヨに囲まれて足を組んで座り、膝で眼鏡を拭いているルイスがいた。そしてジョークが生まれた、スタダート大佐が読みかけの探偵小説を違った場所に置いたり、息が詰まったり、料金支払い済みの電報に返事が来なかったりするたびに、彼はルイスの真似をして目を丸くして言うのだった、「僕はまた結婚しなければなりません」と。八月になるとロドニーはスコットランドへ行き、ジャネットは両親と一緒にコーンウォールに行った——別行動は問題なかった。戻ってきたロドニーは九月はまだ先だと知って、少し不安になった。彼女の嫁入り支度《トルーソー》はまだ終わっていない。彼はバッツ・アビーに滞在し——その場所にやがて引き留められて——チェルトナムにはほとんど戻らなかった。若きティルニー夫妻は、ダルマシアのあとそれほどすぐにはロンドンを離れられず、八月にはドーブニー家を訪れて長い週末を過ごした。

九月になると、ローレルに赤ちゃんが生まれることがわかった。この事をできるだけ長い間、レディ・エルフリーダには伏せておこうと決め、彼女は二重の意味を持たせて結婚式に参列した。結婚式では、レディ・エルフリーダは至るところにいた。ジャネットに金色のドレスを着せる手伝いをしたのは彼女だった。

＊1　ハンス・ホルバイン（Hans Holbein, 1497?-1543, the Younger）、画家の父と同名のルネサンスのドイツの画家。英国ヘンリー八世の宮廷画家。

第二部　快晴の一週間

1

アナとサイモン・ティルニーは、茂みの中にうずくまって、まだ青いグースベリーに噛みついて、彼らの舌を吸い取り紙にしていた。そしてグースベリーをまたペッと吐き出した。酸っぱいのが面白くてやっているのだ。彼らのいとこの身内コンシダイン大おじ《グレート・アンクル》は、棘のある低い枝の間に寝そべって、彼らの傍らでリラックスしている。その頭と地面の間にアナはキャベツの葉を一枚滑り込ませていた。コンシダインは、片方の目は閉じ、もう一方の目は空が映ってガラスのようで、空には一羽の鷹が輪を描き、急降下したりしていた。この霞んだような自足したホイットサンデー[*1]の一日、この三人は目的もなくバッツ・アビーの菜園のはずれに集まっていた。コンシダインは子供が嫌いなのに、気がつくと永遠に子供たちに囲まれていた。ティルニー家の若いいとこのハーマイオニ・メガットはまだ厩舎のまわりにいて、空しく彼らを呼んでいた。奇妙といえば、この一人っ子は孤独に少しも馴染めていない。

「高いところにいるな」サイモンは苛々と鷹を見上げて言った。「撃ち落とせないさ、猟銃があっても。さあ、行こう」

アナはサンダルの先でコンシダインの脇腹をそっとつついて言った。「ええ、行きましょう」これも権威ある口調だった。彼は虎について彼らに話を聞かせていたのだ。

「そう、腕は壊疽《えそ》が進み、切断する必要があったのさ。麻酔薬もなかった」

「ガス、エーテル、クロロフォルムでしょ」アナがサイモンに説明している。「このどれがなかったの？」彼女はコンシダインに訊いた。

「何もなかったのさ」

「それじゃあ、どうしたの？」

「僕が切除したのさ」コンシダインが言った。子供たちは自分で自分をハグして、しゃがみこんだ。

「黒い人の腕は、悪くなるともっと黒くなるの、それとも青くなるの？　教えてよ」

「知らないな、見てなかったし……」

「だけど人が喰われるのを見たことがあるんでしょ？」サイモンが満足しないで言う。

コンシダインの評判は俄然低下した。ティルニー家は空白の期間が系図に大きく目立つ形で継続していた。彼らは彼が何をして人生をやって来たのか、はっきりとは想像できなかった。系図のどちら側の子供でも彼の代わりにもっといい人生を歩めただろう。「それで、どうしたの？」彼らは訊くのをやめなかった。子供たちは続くことに強い関心を持っていた。コンシダインはもう覚えていなくて、例えば壊疽になった腕をどうしたのか？　焼いたのか埋めたのか？　腕を埋めたら、誰だって覚えているでしょ？　または誰かに渡して、それをもらった人はそれで何をしたの？　彼の記憶は不自然な感じになり、不思議だったのか、何かと比較したか、心から驚いたのか、覚えていなかった。彼の自慢の虎たちも、背後につながる思い出がないので影が薄くなった。

「だったら、発明してくれるといいな」サイモンがやさしく言った。「虎が一匹、女学校に入っちゃった話を想像して聞かせてよ[*2]」

「もう眠くなった」コンシダインがふらふらして言った。彼は彼の時代には語り部で通っていた。サイモンはもっと良くできた虎の話を始めていたが、アナが突然彼を引っ張り、彼の口を手でふさいだ。「ジャネットおばさまが来るわ、だから私たちはハーマイオニとは遊ばないのよ」

だがジャネットは娘の人気がなくてもかまわなかった。道をゆっくり降りてきて、誰がどこにいるかなど考えてもいない。彼女は十三回のホイットサンデーを順に数えてきたところで、どうやって十四回目を過ごしたか思い出そうとしていた。結婚して十年になり、人生に持ちこまれた微妙なリズムの繰り返しと単調さに満足していた。黄色のリネン・ドレスに帽子はなく、靄がかかった空の下を歩いていた。その顔は子供たちとコンシダインには晴ればれとしていて、コンシダインに読み取れるものは何もなかった。

ジャネットは、目的なしにどこかに行くことはない人で、外に出たのはグースベリーを見るためだった。ランチに素晴らしいタルトがときどき出て話題になった。ロドニーは、いまや何エーカーもある果樹園の持主で、大がかりの菜園で、楽しむというよりは苦労していて、人手をほとんどそちらに回せなかった。家で使えるフルーツ[*3]はさほど獲れなかった。この先ずっとジャネットが、みながら強く願うように、グースベリー・タルトとグースベリー・フール[*4]で家族を養うなら、ローレルとエドワードが合流する七月にはいくらかでも熟したのを残しておけるだろうか？　去年彼女はラズベリーのために藤づるで柵を設置したが、これも失望に終わりそうだった。難しかった。スタダート大佐とルイス・ギブソンは、この週末バッツ・アビーにいた。ミセス・スタダートはバザーをする予定があって、チェルトナムを離れられなかった。ティルニー家の子供たちはここにいて、麻疹《はしか》のあとの養生をする、ローレルを休息させるためだった。

現在の庭園はジャネットのもので、高い壁に囲まれ、伝統的な規律と、日曜日の静寂があり、ジャネットのホイットサンの見通しを頓挫させた。彼女の思いは――思いがあったとして――中断した。グースベリーの茂みの奥を見ると（これほど嫌なこととは知らなかった）、茂みの合間にティルニー家の子供たちが見えた。彼女の内なるおばが指揮をとった。「おなかがものすごく痛くなるわよ」

「全部すぐ吐き出してるもん」

「それもバカみたいよ」ジャネットが言った。コンシダインは、彼女の無言の重圧の下でじっと横たわったまま、地面に同化していた。彼は彼らのおばさんのお相手ではなかった。コンシダインとジャネットは、一つの家に住みながら、独居の形を保っていたので、顔を合わせるたびに会話したり微笑したりすることが疲れるものだとは知らなかった。互いに相手を黙殺することで、完璧な友好関係にあった。彼女はいま樹木の間を出入りして、低く垂れた重い大枝を持ち上げたり、腰をかがめてその下を覗いたりしていた。ティルニー家の人たちはいつもバッツ・アビーの生活に少なからず驚かされていて、ここで過ごす子供時代を実情よりも割り引いて受け取っていた。ジャネットおばさんは彼らに関心がなかった。ロイヤル・アヴェニューに帰ると、二人の子供のすることすべてが両親にとって痛快でチャーミングな重大事だった。エドワードとローレルは一緒に遊ばないではいられなかった。エドワードは彼らを地下室や屋根の上で見つけるととても嬉しがった。彼自身の子供時代のタブーは、彼の子供にとって、むしろやる気を奪うほど拘束のない制度になっていた。彼らの世界は、彼自身が住んでいると信じている世界だったが、エドワードの想像の中ではあいまいな謎だった。本物の愛情もあり、金を要求するときに感じる恥ずかしさから、二人の子供は決して打ち明けなかったが、本当はローラースケートか乗馬学校のほうが、ケンジントン・ガーデンの黄昏より好きだったし、トロカデロの楽団演奏でとるお茶のほうが、父と母が彼らのためにダイニングテーブルの下に作った洞窟でとるお茶よりも好きだった。子供たちは心の中ではゴルフがしたかった。彼らのおじのロドニーは、バッツ・アビーで鎖状につながったソーセージを作る話をしていた。彼は本物の大人だと彼らは思った。

「ハーマイオニを捜しているの？」アナが助け舟を出した。

「いいえ」

「彼女がどこにいるかわからないのよ」

「彼女が楽しんでいるといいのだけど」ジャネットが言った。そしてボロギク《グラウンスル》を根こそぎ引き抜いて、去っていった。午後はもう変化していた。

アナはまたサンダルの爪先でコンシダインの脇腹をつついた。「さあ、もっとよ」彼女が言った。

「虎の話じゃない話を聞かせてよ」

白い午後は、風にも日光にも邪魔されないで、人間からは敵意も好意も払われずに、穏やかに漂い、バッツ・アビーの上を覆っていた。黄色い石造りの大きな屋敷は静かで、たくさんの時計がやかましかった。ロドニーは図書室で『オブザーヴァー』を読み終え、元の折り目にたたみ直して、スタダート大佐のところに持っていった。彼は義父がこれをもっと早く読めたら喜んだのはわかっていたが、もてなしにも限度があった。その頃までに、わかったのは、スタダート大佐は、銅葉《コパー》ブナ《ビーチ》の木の下の籐椅子で眠っており、彼のパナマ帽が両の瞼に斜めにかぶさっていた。同じ茶色のテントの下にもう一脚の籐椅子があり、無人だったが、ジャネットの意図が感じられた。太陽が出ていない日に日陰を求める、これはロドニーを驚かせたが、スタダート大佐の分別に落ち度はなかった。暑い時はただ座り、暑いのだからいい日陰を捜すだけのことだ。スタダート大佐は、クッションに埋もれた感触が心地よかったに相違なく、眠ってしまって残念だったと思っているようだった。諦めがつかないように、彼の顎が垂れ下がっている。昼間に寝ても未完に終わる。旅路が半ばで終わったのが心もとないせいだろうか、昼間に寝る人の顔が不安に満ちて、暗きを去った啓蒙からあまりにも遠いので、目覚めた感受性の健全な領域は昼間の眠りと死者が勝ち取る静謐さの中間にあるのだ。

スタダート流の屋外に出て座るというやり方に、ロドニーは戸惑うばかり。ロドニーは別荘の庭の森の恵みを知らなかったし、三本のサンザシの茂みを通して永遠を見つめたこともなかった。彼はカントリーの男だった。感じのいい家族に感化され、彼はドアの外に座ったが（やがてぶらぶら歩いた）、オールを漕いだりキャンプしたりするときの自発的な喜びはほとんどなかった。カントリー・ライフの拘束と活気を出発点として、彼は室内に憩いを求め、素晴らしい樹木は見るだけになり、地面が窪み土地が低く高くうねるのを図書室の窓から見ていた。季節だけが炉端から窓辺に彼を移動させ、窓辺から炉端に移動させた。無邪気にも彼はスタダート大佐のこの空想を松材、バスの路線、ネオ・チューダー様式の切妻屋根への接近、ポータブルの蓄音機に関連づけていた。最近では、ジャネットも、誰かが強く望まない限り、外で座らなくなった。しかしもしスタダート大佐が喜ぶなら、ロドニーも喜んだ。ところでジャネットは数に入らないのか？　彼は答えた――彼女が遠くにいるのは耐えられないと。彼女の不在は、彼は不在とは認めようとしないが、心に突きささり彼を拷問にかけた。死ぬよりも前に、彼女は家中に幽霊をはべらせていた。彼女は先駆けであり追随者がいた。だからこの図書室のドアは閉じたことがなく、彼は、彼女の動きでわかる以上に何度も階段の白い壁の角に目をやって、影を捜すのだった。ロドニーは自分が外に出ているときは、ジャネットがいなくても寂しくなかったが、休んでいたある時、強い自然法則に気がついた。彼女は彼のそばにいるべきである。彼女が外出しようと着替えているとき、彼は手袋に入れようとしている彼女の手を捕えようとした。キスはいつもするものではない――彼はたんに、別れの最初のところが耐えられなかったのだ。

　だから十年という歳月は静かな恋人に働きかけた。彼は『オブザーヴァー』を椅子のそばの芝生の上に置いた。スタダート大佐が呻《うめ》いた。ロドニーは図書室に戻った。すぐにもジャネットが庭から戻ってくるかもしれない。

　しかし、ドアから覗いたのはハーマイオニだった。

「ハロー、お父さま。私、靴の踏み台を跳んでいたの」

「よかったね」

「五十三回も跳んだのよ。想像できるでしょ、私、息が切れちゃった」彼女はドアのノブをつかんで弾みをつけて入ってきた。「お父さま……」

「ハーマイオニ、どうした？」

「ああ、もういいの……。私なんか、もう走っていったほうがいいんでしょ？」

「どうしてアナとサイモンを捜さないんだ？」

「ああ、あの人たちとはたくさん会ってるから、ありがとう」彼女は行ってしまった。

ハーマイオニは幼少時から、父親の邪魔をしてはならないと教えられていた。しかしながら、邪魔にはならないだろうという機会はいつもあって、彼女はしょっちゅうその様子をうかがっていた。彼女の祖父は、訪問してくると、邪魔されるのが心配そうな様子だったが、彼女がそうと知っていたら、ミスタ・ギブソンも邪魔されたくなかっただろう。

ルイス・ギブソンは銃器室にいて、準備していた。彼の寝室では、予約の徹底のため、ジャネットお得意の非知性に合わせて段取りがつけられ、書き物机の位置が間違っていたし、ハーマイオニが踏み台から跳んだ五十三回のうち二十九回の音が聞こえてきた。ジャネットにとって、常識が通じない子供だった。図書室にはロドニーがいて、呼吸している――静かにではあったが。彼がいまいる銃器室では、何かがいまにも落下してやかましい音を立てそうだった。だが体調が最善のときでも、カントリーにいるときのルイスは、うまく働けなかった。午前中は落ち着くことができず、午前が終わる頃には空腹になり、午後はランチのあとに、夏はお茶のあとに運動をして、夕刻には眠くなった。だから、向上心という観点からすると、都会を離れたのは完全なミスだった。

とはいえ、彼はチェルトナムに戻るとすぐに報告しなくてはならなかった。バッツ・アビーのもろもろの出来事は、ルイスの仲間にはきわめて重大な関心事だった。彼はエドワードを安心させてやろうとして、コンシダインは七月には確実にイギリスを出ているから、彼とローレルは安心して訪問していい、と言った。ホワイトホールへの緊急招集を別にしても、エドワードがバッツ・アビー訪問に充てられる時間は限られていた。当然のことながら、彼はコンシダインと顔を合わせてはならなかった。彼は母親がバッツ・アビーに行くのを防ぐことはできないにしろ、彼女がそこで偶発的にコンシダインに会わぬよう、厳しい統制がなされていた。彼は、ローレルがコンシダインに会うことに一貫した偏見を抱いていた（彼女は何とか助けてもらいたくてルイスの帰宅を待っていた）。一時、彼の子供たちは、どんな理由があろうと、コンシダインがいるときにバッツ・アビーにいてはならないことになっていた。だがある意味で最初の伝染病がティルニー一家を襲って以来、これは緩和されていた。彼は子供たちがコンシダインを「おじさま」と呼ばないこと、そして、ハーマイオニ・メガットが勝手にレディ・エルフリーダを「おばあさま」とする必要はないことを望んでいた。こういう感受性が渦巻く中、こうした暗礁に乗り上げながら、二つの家族は舵取りをして十年間、波乱もなく航路をたどってきていた。

ルイスは感じていた、おそらく自分は動くべきでないと。スタダート大佐は良心に咎めていた。この老人は妻がいないと途方に暮れるのだった。静かすぎる所帯は、彼の無邪気な大騒ぎに屈していた。ジャネットは多忙な女の力を発揮して、どこにもいなかった。彼女は、なるほど、除草用の小さな鋤《すき》を父に与えたが、彼女の完全無欠の芝生をくまなく歩いても、父はタンポポはおろかデイジーですら一本も見つけられなかった。メガット家では、おじと甥は、仲良くしていても、どこか他人行儀だった。エドワードの義父は、そのうえ、コンシダインには遺憾な何かがあったことをそれとなく察していた。彼はティルニー家の彼の孫たちが誠実で分別があるのはわかったが、お行儀が良すぎると思った。ハーマイオニは、竜巻で、好奇心がなかった。というわけでこの老人は元のルイスに戻った。二人は大いにしゃべった。この種のことがはっきりうまく行くと、どの方向であれ、ルイスにはありがたかった。

だからルイスは何度か起き上がって、窓の外を見た。だがスタダート大佐はまだ眠っている……。ついにルイスは思い余って、テラスへ出て行った。

彼はあくびをして、優しい怠惰を肺に深く吸い込んだ。「ここだったんですね」彼は声をかけてみた（二人とも相手がまったく見えなかったので）。彼は広大な白い午後を見た。地平線は低く、小さな空を追い払っていた。灌木林が屋敷の両側から両腕のように伸びている。「では中に……」ルイスが言った（彼の真意は、人生に入ろう、そして全員に代わって、三十代の初めから話す。その季節と午後にふさわしいタイミングで。ということだった）。「仲良くやりましょう」と彼は補足した。

情景のほうは、その下方に動く人影があった。ジャネットが庭園の方角に並ぶ木々の間から出てきて、父親と一緒に座った。だが彼はまだ眠っていて、いびき一つかいていない。彼女は平気だった。ここで彼女は仰向いて寝そべった——家は見なかった。何をするのかとルイスはいぶかしく思った。彼女はブナの茂みの暗がりに座り直し、忘却の歩哨であることを忘れ、彼の椅子の少し後ろにいた。彼女の手は椅子の背をゆっくり動き、椅子の籐には触れず、その上の空気に形を与えていた。微笑はまったく浮かばなかった。親密なはずだったのに。最愛の人に近づくように、人は椅子を——話しかけるか、かけないか——カーテンを、さもなければ芝生を、木の幹を愛撫するか触ると不思議な電流が流れるその手触りを歓んで。彼女の指の下にいま通っているのは何だろう？

明らかに彼女はスタダート大佐を忘れていた。

どこかの望遠鏡がルイスの目に彼女を見せた、明確ながら、忘れそうなほど遠方だった。彼が見る彼女はユニークだった。彼にはその説明がつかなかった。だから彼は理解した、孤独とは本来目に見えないのだ。彼は誰であれ孤独な人をこれほど長い間見つめたことはなかった。

＊1　復活日《イースター》後の第七日曜日、聖霊が使徒たちに降って主イエスの復活を告げた日を記念する日、つまり聖霊降臨日《ペンテコステ》のこと（『使徒言行録』二章）。

＊2　*The Good Tiger*（Knopf, New York, 1965）はボウエンが一九六五年に書いた童話。動物園の虎をお茶に招待するサラとボブの話。

＊3　果実やジャムを入れて上皮をつけたパイのこと。

＊4　砂糖で煮た果実とホイップドクリームまたはカスタードクリームを混ぜ合わせたデザート。

2

ルイスの妹のマリーズはいまチロル地方にいて、獰猛な友、シオドラと一緒だった。残念なことに、彼はマリーズとほとんど会っていなかった。二十六歳になったマリーズは、超然として尊大で、満ち足りたような冷たい空気があって、それが結婚を遠ざけていた。そしてどの陣営からもそこそこの賞賛を自由に受けていた。彼女はシオドラと一緒に、イーベリー・ストリートをそれた所にあるフラットに住んでいた。シオドラを引き受けてくれたむしろ中立的な友情に救われたサードマン夫妻は、サセックス州にあるコテージの毎日を何の憂いもなく楽しんでいた。だがじつは、彼らはいくらか無理をして日曜日にはたまに集まると、二人の若い女性の落ち着いた横顔がコテージの窓辺を通りすぎ、車が一台、小さな中庭の門戸の中へ正確に入ってきた。

シオドラはもはや両親をいじめることはなかった——もしかしたら彼らには最小の喪失感はあっただろう——彼女のエネルギーはいまや別の方向に流れていた。娘たちに何について話しかけたらいいか、それを知るのは難しかった。彼女らは背も高く、低い天井に押し潰されているみたいだった。しかし彼女らは座っているより立っているほうを好み、サードマン夫妻が心配そうに話している間、自分たちの判断を控えているようだった。彼女らの職業は依然として議論の上にあった。劇場には関心がなく、結婚した友人もいなかった。……「それでね、シオドラ、誰があなたに会ったの？」「あの――本当はね、お母さま、説明するのが難しくて」シオドラはいまや器量がよくなり（確かな筋の話だった）、いまも骨格は大きく、いまも傲慢で、いまも近視だった。彼女はほとんど見えなかったが、誰にもわかるとおり、自分が見逃したものをほとんど後悔したことがない。

一度彼女らはルイスを連れてきた、彼は座らないで、自信ありげだった。サードマン家の家庭生活は、たちまち自然になった。ときどきこれは例外ではないかと恐れたこともあった。そしてルイスの生活には、彼が議論したがっている小さな困難がたくさんあった。彼の友達に関しては――彼は軽率だが愛敬があった。彼は考察に見通しをつけ、サードマン家は喜んでよく考えてみた。彼らには見当もつかなかったのだ、例えば、エドワードは難物だとか……。ルイスがゴシップ屋だと言うつもりはなかったが、彼らが本当に感じていたのは、彼がもっと自然な娘の友達になってくれたら、ということだった。彼らは彼にまた来て欲しいと言い、何年も後になって、スタダート家から聞いた、彼がいまなお熱烈にそうしたいと思っていると。

この聖霊降臨節《ホイットサンタイド》の一週間を通して、再会問題が当然持ち上がらなかったのは、シオドラとマリーズがチロル地方にいるからだった。サードマン家は、やかましいバス路線に挟まれた小島のような庭園でホイットサンを楽しく過ごした。しかしルイスはバッツ・アビーで、どういう理由からか、だんだん憂鬱になり、いつとはなしに日曜日が過ぎた。お茶も効き目がなく、教会の鐘の音は、彼の平静をさらに乱した。自分には傾倒するものがないのだと彼は感じた。

晩餐が終わり、涼しい五月の夜が、香りもなく、半分開いたすべての高窓に寄り添っていた。遥か下方の応接間では、ブナの炎、ファンタスティックな夏の暖炉が目に映り、集まりを示していた。言葉はなく、ルイスの憂鬱だけが物言わぬまま、ランプに照らされた部屋の空気が、動かない澄んだ水のようだった。

ジャネットが暖炉から離れて、理由もなく、窓辺にもたれているルイスのところにやってきた、彼の肘が窓のサッシに沿って伸びている。

「それで……」ルイスが言った。

「寒いわね」ジャネットはそう言って、ドアの外へ裸の腕を探るように伸ばした。

ルイスはその言葉を内緒話と取った。「窓を閉めて欲しいの?」

「ただコンシダインがちょっと……」彼女は、窓からコンシダインの首筋に吹く隙間風を目で追った。ルイスが窓を閉めた。「なんていい日なんだ」彼は言い足して、自分が見逃してきたすべてを無念そうに振り返った。

彼女は微笑み、幸福だった。ここのこの一日は彼女のもの。彼は溜息をついたが、彼の幸福は広く知られていたので、彼女は彼を理解する努力はしなかった。彼女はルイスの些細な変化をほとんど考慮しなかった——というか、考慮しないのは誰についても同じだった。「暖炉に戻っていらっしゃいよ」

だがルイスは親しみをこめて言った。「ハーマイオニが言うには、踏み台を六十九回跳んだそうですね。それが彼女の内面に効き目があったと思う?」

「五十三回よ——私は知らないけど、ルイス。彼女はすごく自立してるから。アナとハーマイオニを長く一緒にしておけないわ。それにサイモンとハーマイオニは喧嘩するし」

「みんな興味深い子供たちだな」ルイスは言ったが、ティルニー家などどうでもよかった。

「そうよね、興味深いわ」と同意しながらジャネットも関心はなかった。「これだけは言っておくわ、彼らはコンシダインに夢中よ」

「エドワードは気にしてないの？」

「わからないわ」ジャネットは言った。「彼は知らないんだと思う」

「エドワードのことを君はどう思ってる？」ルイスはそう言って、シャッターにゆったりともたれかかった。

「彼とは一分と会ってないわ、かれこれ一年近く。五月下旬のフラワーショーの前に一度ランチに連れ出してくれただけ。少し投資してると言ってたけど。良いことねと彼に言ったわ、まだ投資してるの？」

「非常に慎重に、ね」ルイスが答えた。

「そうね、慎重にしないと」ジャネットはローレルのことを考えながら言った。

「レディ・エルフリーダは、びくびくしながら投資してる」

ジャネットはこれを聞き流した。「ローレルにはイースター以来会ってないの」そして続けた。

「素敵でしょうね、彼女とエドワードが七月にここにいたら。私、思ったの、みんなで――」

だがここでロドニーが暖炉から振りむき、ジャネットを探している。彼らのために暖炉に火を入れたのに、どうして彼女は窓のそばに立っているのか？　ルイスのあとについて彼女はソファに戻って座った。彼女の夫、彼女の父、彼女の夫のおじがみな座り、彼らが勝ち点を上げたみたいな空気になった。

「いま話してたのよ」彼女は彼らに言った。「七月には、エドワードとローレルがここにくるから、どうかしら、みんなで……」しかし、ルイスはある表情を思い出した、平静な暗い表情で、窓辺を離れる時に、彼女がその夜と交わしたものだった。

だが彼らはハーマイオニの自立性を誇張していた。「へーイ！」ジャネットの娘は階上で九時半頃に叫び、アナが無視したので、またその挑戦を繰り返した。幼い少女たちは一緒に寝ていた。

「ナニゴト？」アナが言った。そして起きなおって身構えた。だが家は今度もまた火事ではなかった。一方、何事も止まらなかった。列車が遠くで角を曲がる、その空《うつ》ろな音が聞こえた。夜は不動だった。彼女は窓を見た、ハーマイオニの小さな楕円形の鏡を見た。艶のある白いカーテンがときどき動き、誰かが一歩進んでは、じっと立ちすくんでいるようだった。アナは恐怖について聞いたことがあり、それに驚嘆していた。彼女は体を起こして目を凝らした、勢いよく咲くクロッカスのように、安全な小さな鞘に守られながら。

「何が欲しいの、ハーマイオニ？」

ハーマイオニはアナは眠っていたと説明した。アナは言った、眠ってないわ、横になっていただけよ。

「へえ、ずいぶん平たく寝るのね」とハーマイオニ。「人や車の往来がないと寂しいの？」

「私たちが住んでいる所に、そういう往来はないの」

「ロンドンのことを思って……」ハーマイオニは食い下がった。

「あら、私たちは思わないわ。おばあさまも思わないのよ」

「ああ、私、おばあさまのところにお泊まりしているの。私たち、いつどうやってあなたのところにお泊まりに行くの、アナ？」

「お母さまが言ってるわよ、あなたは乳母たちに馴染み過ぎているって」

二番煎じの非難はハーマイオニには面白くなかった、それはみんなも同じだった。「私には乳母なんかいないもの」彼女はカッとなって言った。「メイドはいるわよ、スイス人で、このメイドに私は馴染んだりしてないわ。それで、エドワードおじさまは、何と言ったの？」

「私は知りませんよ」うんざりしてアナが答えた。「何も言ってないと思うわ」

「じゃあ、おばあさまは何て言った？」

「彼女はあなたのおばあさまじゃないのよ、ハーマイオニ。あなたのおばさまでさえないわ。全員を持つことはできないのよ、いいわね」ハーマイオニが甘やかされていると考えるアナは正しかった。不運にもそれをアナは長くやりすぎた。「あなたのような人のことは聞いたことがないわ、ハーマイオニ、人も物も全部欲しがるなんて。ええ、私には初耳よ……」

「私は誰かさんの老いぼれたおばあさんなんかほしくないの！」

「だけど彼女が好きでしょ」アナはそう言ったがショックだった。

「それに誰かの古臭いいとこなんていらないわ」ハーマイオニはしゃにむに続け、暗がりで枕を叩いた。

レディ・エルフリーダはメガット家の人間がそんなに激しやすいとは知らなかったと言っていた。ジャネットはこれも考慮に入れなかった。トレヴァー・スクウェアでハーマイオニはシャムネコを蹴飛ばし、ハロッズでは悲鳴を上げ（迷子になったと思ったのだ）、マスケリン・アンド・デヴァント[*1]でも悲鳴を上げ（レディ・エルフリーダが選んだ場所が悪かった）、家に置いてきぼりになった時はバルコニーに出てテディ・ベアと一緒にイゼベル[*2]に扮し、人の群れができた。レディ・エルフリーダはとまどって、驚いてしまい、挙句エドワードを思い出した。ここで彼女が預かったのは、またもや非常に神経質な少女だった。何かもう少し手がないものか……。だがエドワードの興奮は中に食い込んでいた。

二人の少女の油彩小品《ミニアチュール》がレディ・エルフリーダの寝室に額に入れて飾ってあった、その上にサイモンのも掛かっていた。サイモンは議論する必要がなく、生粋のスタダート人間で、祖父そっくりの四角い頭をしていた（但し書　ローレルは評価したが目に付く特徴ではない）。その一方で、アナ・ティルニーはジャネットおばゆずりの目立った特徴がややもすればあった——エドワードのではなく——美しく蒼白い影のある小さな顔、顎のところの曲線が四角い輪郭を防いでいる。彼女は、しかし、瞼がないのか、うつむいたことは一度もない。その表情は複雑でなく、ほとんど情熱的な合理性で対象物に同化した。金髪で目が青く、ローレルに似ていて、ロドニーにふさわしい娘であっただろう。レディ・エルフリーダを困らせ、ミセス・スタダートを絶えずしくじらせ、彼女は生まれながらの孫娘だったのだ。

最後にもう一つ、ハーマイオニは金髪で、灰色《アッシュ》がかったブロンドだった——血統にはない——メガット家の顎は逃れられなかった。瞳は杏《あんず》の果肉のような赤茶色で、やや中に寄り過ぎており、奥目で、高い鼻の鼻腔はアーチになっていた。ちらちらする表情は素早く、物体を見るときはわざと横目になった——ジャネットの子供は熱を帯びていた。疲れると、瞳がやや斜視になった。母は眼科医に連れて行ったが、無駄だった。興奮すると嘘をつくことがあり、ときどき嘘をついた。

「もう、どうしようもないわ、ジャネット」レディ・エルフリーダは眼科医から三度目に戻ったときに、ぶしつけに言った。「髪の黒い子供を持ったらよかったわね。彼女が近視でないのはハッキリしているけれど。私にはわかるの、彼女が自分だけの世界に住んでいないのは。あなたがするべきことはないと思う」しかし、彼女は残念がったことだろう、コンシダインの縁続きに孫娘がいなかったら。

――以下はカッコつきで――目下のところ、アナは、困惑して、明かりを点《つ》け、言葉もなくベッドを出た。ハーマイオニは、これは恐ろしいことになると理解した。

「どこへ行くの?」ハーマイオニは遠慮がちに訊いた。

「サイモンのところに」

「ああ、アナ、聴いて。やめて、アナ! 秘密のこと教えるから」

「サイモンと私には秘密のことがあるのよ、ありがとう」アナが冷たく言った。これはハーマイオニの生涯を通じて起こりそうなことだった。自分で知る以上に彼女はもっと不運だった。

「いいかしら――私が彼女をおばあさま《アン・グランドマザー》ではない人と呼ぶことにしたら、あなたは彼を大おじ《アン・グレイト》ではない人《アンクル》と呼ぶ?」

「彼と私たちは同じ関係よ、彼を何と呼ぼうが」だがアナは気を許して彼女のベッドの片側に腰を下ろし、明かりはまだ点けていた(事実、サイモンは彼女にはもう退屈だった)。彼女は丈夫そうな小さな足を振り上げて、つま先を組んだ。ジャネットのものだった善き羊飼いが、優しく分け隔てなく二匹の子羊を見下ろしている。それでもアナは神のような優越性を持ち続けていた。ハーマイオニは彼女をもてなそうと必死に努めた。

「どのくらいだったの」と彼女が言った。「あなたが一番長く列車に乗っていたのは?」

「十六時間よ」

「まあ、アナ……」

当たり前のことだが、アナは旅をしていた。すでに海外の場所を二箇所か三箇所、けなすことまでできる位置にいた。彼女はベッドの布団の下で足をゆっくり引いた。色がついた毛布は、彼女の家のものよりずっと美しい。メガット家は運がいいが、どこか嘆かわしいのだと彼女は理解した。

「列車に乗ると、気持ちが悪くなるのね?」彼女はいっそう親切に言った。そして枕のフリルをつかみ、形を整えた。

ドアが開いた。ジャネットはドアロで、これはショックだとひそかに言った。彼女の理解では、子供たちは夜の十時に明かりを点けたままおしゃべりをしてはならない。その時間に子供が言うことなどない——彼女は自分のこの日が短く終わるのを望んでいた。

「お二人さん、何時だか知ってるの? 頭がおかしくなったのね」

「お父さまが本を読んでくれるの、眠れないときは」アナがすぐ答えた。

「彼が? でもね、ここでは自分で寝ないといけないのよ」ジャネットが言った。アナは自分の子供ではなかったので、アナのベッドに座り、優しく見つめた。二人はよく知り合うべきだった。

「羊さんを数えるのよ」彼女が提案した。

「数えられないわ、見えない羊は」

ジャネットは理屈がわかった。「じゃあ、数えないで」彼女は言った。「ハーマイオニにまたしゃべらせたらいいわ」

「お母さま……」

「いいえ、ハーマイオニ。困ったわね」ジャネットはアナの髪の毛を撫で上げて、そこにキスした。嗚呼、美しい少女はローレルのように明るくなりっこないだろう。何かが水源で枯渇したか？　それになぜ、その間、ハーマイオニは穏やかな高い天井を見上げていたのか？　彼女は横になり、身動きもせず、黒い道徳の線を周囲に張り巡らせている。悪い女の子だ。ジャネットはアナのピンク色の毛布をたくし込んでやり、その優しさはアナのためではなかった。そして明かりを消し、もう一つのベッドに向かった。

ハーマイオニの顔が暗闇に浮かび、両腕と体全体も見えた。彼女は囁いた。「私を愛してる？　本当に私を愛してる？」

ジャネットは膝をついて顔を枕に埋めた。「それは秘密」

「どのくらい秘密？」

「あなたは私の宝物」

「お母さま、すごくいい匂いがする、私、あなたを食べちゃいたい……。世界中の誰よりも？」

遠からぬ所でアナが横たわって耳を澄ませている、新たな息苦しい闇の中で空しくもジャネットがハーマイオニの腕を振りほどくのを待っている。

＊1　John N.Maskelyne (1839-1917) と David Devant (1868-1941) が組んでマジックショーを行い、Maskelyne and Devant House of Magic は世界中に名をとどろかせた。

＊2　この「イゼベル」はJezebelというつづりで、偶像崇拝のイスラエルの王アハブの妻。その放埒、傲慢のゆえに、「イゼベルはイズレエルの塁壁の中で野犬の群れの餌食になる」と告げられる。『列王記・上』十九、二十、二十一章。

3

聖霊降臨節も月曜日には雲が出てきた。火曜日は雨だった。ジャネットは父とルイスを車に乗せて駅まで送った。サイモンも接着剤のセコティンを買うために一緒に来た。彼は祖父と一緒に後部座席に座った。半クラウン銀貨が二枚、道中、多かれ少なかれ沈黙のうちに手から手に渡った。サイモンは前に身を乗り出して、こういうことになったから、自分がのこぎりを買ってもいいかどうか訊いた。ジャネットは聞いていなかった。水たまりをはじいて進む車の騒音で、ルイスの話もあまり聞こえなかった。雨が打つ窓ガラスに瞳を凝らし、彼女の耳に届いた彼の話は、夏は若くして死んでしまったね、そして、結婚式の日らしくない日だね？　だけだった。

「誰の結婚式？」

「誰のでも」

「私たちの結婚式は晴れたわ」ジャネットが言った。

ルイスは知的な目で雨の向こうを見て、バッツ・モナコラムの村について意見を述べ、彼女は聞き流した。彼女は思い出した、帰り道でその意見を持って牧師館を訪れるべきだったし、駅に着いたときには除草剤がもう着いたかどうか聞き出して、一騒動起こすべきだったと。「私たち」彼女が言った。「幹線沿いに住んだらよかったわね」

「どうして?」ルイスが言って、睨みつけた。「そんなの関係ないよ」彼はさらにそう言った。そして今回の自分の旅程について述べたが、彼は田舎の切り替え支線《ジャンクション》ほど嫌いなものはなかったのだ。「なに」彼が言った。「僕には関係ないということさ」彼は昨日疑っていた、彼女のいつにない物思いから、彼女は自分が言い過ぎたと疑っているのだと――なぜか、いつか、誰かのことで、おそらく日曜日の夜に。彼はその印象を打ち消そうと心を砕いてきた。いま彼女は何か問題があって顔をしかめている。

「もしドディントン・ジャンクションで本当に十五分あるなら、包みが私宛に届いてないか貨物事務所に問い合わせてくれる? 本当に、いいの、ルイス? お礼を言うわ。土曜日に配達したはずなの。手間取ってるのよ」

「それはきっと無理だと思う」ルイスは真面目に言った。「君とは長い間会えなくなりそうだし?」

「私は二、三日ほど、トレヴァー・スクウェアに行くかもしれない」彼女は車を駅の入口に寄せようと白い柵を通り越した。そこでも水たまりの飛沫が跳んだ。ジャネットが誰かに手を振った。そして、「サイモン」と彼女は振り返って呼んだ。「おじいさまの膝掛けと雑誌を見て差し上げて」スタダート大佐はこれから送別会があり、彼はすでに出立したものとルイスは感じた。「快適だったね」と言いながら、彼は幽霊のようにふらりと車から出た。

「とても快適だったわね」ジャネットは言って、駅の時計を見上げた。

サイモンは最後の訪問客を見送っても残念ではなかった。これから彼の忙しい日が始まるのだ。エンジンを一度見てから車に戻り、そのフロントシートに座ると、半クラウン銀貨の裏表をくるくると返してから、ギアをそっと蹴ってみた。そこでジャネットおばが即座に車を出した。深い水たまりから上がる水しぶきが二枚の翼のように車の両側に上がる。村に着くと彼は接着剤のセコティンを買い、七シリング六ペンスののこぎりを注文した。コンシダインおじはきっと……もしかしたらロドニーおじも……。サイモンは彼らにのこぎりの話をしようと思った。

教区牧師の妻がジャネットに言った。「聖霊降臨節には人がずいぶん集まったんですね」ジャネットは鼻が高かった。教会の家族席《ピューズ》を二列も占めたのだ。外側にコンシダインがいて、座席のはじに固くなって座り、祈禱の間は少し前のめりになって、ぶつぶつと帽子の中に何か言った。

「みなさんもうお帰りで？」牧師の妻はそう言いながら、車の中を覗き込んだ。

「全員帰りました」サイモンが言った。「残ったのはアナと僕だけ」牧師の妻はおほほと笑い、この小さい人たちをお茶に招いた。彼女はうなずいてからいま来た道を戻り、雨に濡れた庭園をいかにも楽しそうに歩き、誰もが彼女を羨んだかもしれない。ジャネットは、車を始動させ、一瞬訝こうと……。だが牧師館の窓はゴシック様式で、暗く尖っていた。牧師は目を輝かせることがきわめてまれで、ひとり神学に閉じこもって、蓋つきの書き物机に半ば埋没していた。彼の「造り主」にとっても哀れな同伴者だった。

今日、この村は世界一ずぶ濡れの村だった。遅めに咲いたライラックは水浸し。葉が排水溝になっていた。ドアロも土砂降りで暗かった。漆喰塗りのコテージも災難は免れなかった。煉瓦のコテージは不機嫌だった。午餐の調理をする煙が重く垂れこめ、樹木にまとわりつき、暗い軒下で老女はまだ死なず、ジェラニウムが息を殺して窓枠にへばりついていた。インターナショナル・ストアは、ココアが山積みで、反射するジェラニウムの赤い色の上に見えていた。通りを横切る者もなく、ドアに来る者もいなかった。息絶えた、水浸しの日、とジャネットは思った。そして村では何かが中断し、おそらく終わっていた。夕刻が明るく屋根を溶かし、時間を知らない日光の空白、暗いランプ、冷たい井戸からバケツが明るく跳ね上がってきた。ここにはもっと悪い日もあり、いい日もあった。決定的なものはないと信じるだけだ。安らかでいたければ、光景なしで、室内で暮らせばいい。

一方、サイモンは家に帰ってセコティンを使いたくてたまらなかった。

アビーでは、玄関ホールの円柱の間から澄まして出てきたコンシダインは、彼らに会っても素っ気なかった。朝食のあと、彼がロドニーと出て行くのをジャネットは目撃していた、襟を立てて、意気消沈したように、横殴りの雨の中へ出て行った。だが、いまここでは、彼はまたもと通り、することが何もないようだ。「これは続くな」彼は天気のことでそう言った。「君の夫の好きな天気だね」彼は彼女がコートを脱ぐのに手を貸した。

コンシダインは甥ほどの背丈はなかった。もっと細身で頬もそげていて、こめかみももっと狭かった。ロドニーが大人になって体重を増す中、コンシダインは後退して、二回目のより幸福な思春期を迎えていた。お互いに抱いていた敬意は小さな金塊のようになり、金属としては役立たなくなった。コンシダインのマナーに皮肉な調子が露わになり、ロドニーのマナーには忍耐がにじみ出ていた。ここ四週間でそれが目立ってきた。コンシダインはもう一度イギリスを出ることになった。ここバッツ・アビーでの出来事、この存在は、コンシダインには明らかに出来事というほどのことではなさそうだった。彼の礼儀、ジャネット本人（友達のうちでももっとも新顔の、恋人のうちでももっとも不注意な彼女ではあれ）への忠実さが、ジャネットの意識に強く刻印された、自分は彼のタイプではないこととして。彼らの日毎の単調な付き合いは、この不服を言わない罪びとにとって、四旬節に相当した（つねに復活節が前方に控えている）。しかし、彼女は素晴らしい女だった。彼は彼女の資質が手に取るようにわかった。彼女のほうでは、ロドニーに代わって多少腹立たしかった、寛大すぎるあの微笑、決まりきったことをしていても一度も貧乏ゆすりを見せないこと、そして彼らの果樹園……。最高に賞賛すべき正気そのものの甥がここにいる、十二分に報いてくれている。

「また静かになりましたね？」客たちが去ったことに触れてコンシダインが言った。

彼自身、パーティが楽しかったことはない。客の中にレディがいなかったのが悔やまれた。ロドニーの時代が来る前は、コンシダインが一家でもっとも楽しくて、もっとも不実な恋人だった。バッツ・アビーはおりおり花盛りになる時があった。暗く長い部屋はどれもシャッターがなく、日光と活気が遊び、鏡は拭われたことなく銀河を映す被膜がいつもかぶったままだった。地表すれすれに伸びた大枝がデイジーが咲いてない時はない芝生を掃き、無数のパラソルが左右に傾き、地表に日光を浴びたシルクの花びらを散らしていた。カントリー・ライフはやや緩み、やや専門的ではなくなっていた。暗闇の訪れが早かった。取り決めが夏の一日のリズムを乱すことはない。蠟燭は真夜中にも露わになったむき出しの首と肩に揺らめく。笑い声が遅くまで響く。一週間が飛んでいき、二週間も飛ぶように過ぎた。やがて姿見がそこに微笑をたたえたままで覆われる。シャッターがまた上がるのは、伝統はあっても跡継ぎのいない悦楽の最後の時……。私は素顔のコンシダインを見逃したに違いない、会ったこともないに等しい、とジャネットは思った。彼の魅力が幕を上げるのを見たことがなかった。

彼は、と彼女は思った、誰のことも惜しんでいないのだ。みんなバラバラ、薄汚れていて、心ならずも死んでしまった。しかしながら、彼は奪われた……。「おそらくは」とルイスがほのめかしたことがあった。「僕らは楽しんでいないんだ」おそらくみんなわかっていた、レディが少なければ少ないほど彼らはますます面白くないのだ。対話では性別《アセクシュアリティ》なしに見えても、それは一種の競争だった。ジャネットはルイスが何を言っているのかすらわからなかった。女性の多くがいつも愚鈍なのだと思っていた。コンシダインをもてなしそうな人なら、彼女は誰でも招待したいだろう。だが招待したい人を思いつかなかった。ラッキーだった、と彼女は思った、コンシダインが子供好きで。

彼は子供好きではなかった。サイモンには退屈した、こざかしい大人子供だ。アナは、もちろん、未発達《エンブリオ》の女だ。だがハーマイオニは、もし彼女が彼の甥の娘《グレートニース》でなく、本当にエルフリーダの孫娘だったら、祖母の精神の気配が見えると言われていたかもしれない。

だがエルフリーダの精神はかたくなだった。エルフリーダは、どう見ても、コンシダインの扱いがよくなかった。彼女の沈黙は、何を責めているのか、あの大失態《デバクル》の際にも、残酷なまでに一貫していた。彼はそれに傷ついた。彼女の人生が崩壊して間もない頃、そのスキャンダルの光が彼女から少しそれたとき、彼女は彼の接近を迎え撃ち、持ち前の炯眼と汚れなき少女のような明晰さで、温情をかけるのを禁じた。コンシダインはエルフリーダを動かせなかったのではないか。いまもあの時も、彼にはできなかった、どの時点で彼が失敗したかを明らかにすることは。彼女は情熱を消した。視線のすべて、言葉のすべて、手紙はいまこそ相互に確かめるために必要であったが、そのすべてに籠めた皮肉な否定によって、彼女は彼が彼女と同じ側にいることを不可能にした、あの大失態《デバクル》からこっち、世界が彼を捜している所すべてで。感情の面で法的には正確に、彼女は彼の不実について証拠を上げて十分すぎる主張をした。彼しかいなくなったいま、エルフリーダはついに彼を追放した。おそらく彼を傷つけ、おそらく生きる力までも。それから彼女は彼の中に明るい男をしつこく探し求めた、明るい女に合う相手として。彼女の乾いた別れのまなざしのもと、彼女の最後の悔いなき悲劇もあって、パリで彼はたしかに生気を奪われた。ヨーロッパを去るに当たり、彼はあの冷たいアパートに彼女とともに残った、そこで彼女は病室に馴染むようにその環境とかろうじて馴染み、造り出したのだ、冷たい本物の暖炉、彼の全存在の源泉、彼女が強く求めた当時は無用だった男らしさを。彼の実人生は、それが罪の自覚と完全に切れたときから、目覚ましいものになった。名声が悪評を消し、評判が噂のあとに続いた。彼女は、彼を「作った」と言われていたかもしれない……。いまになると、彼らが結婚しなかったのは自然だったと思われた。彼らの別れには古い縁故関係という威信が働いてくれた。偏見がいくぶん影をひそめ、彼女が名誉を修復するのを許した。だがコンシダインは生きているし見るからに繁栄しており、エドワードの父親は明らかに妻を寝とられ、心破れて衰亡して死んだ。彼女の犠牲になった。

というわけでバッツ・アビーでは、ロドニーとジャネットにとって、コンシダインは問題であり続け、ペアのはずなのに相手のいない陶器の人形《フィギュア》として磁器ほどの強さもなくペアを欠いた一人ぼっちだった。彼ら二人の世界は小ぶりで平等で家庭的だった。コンシダインをもてなすには、エルフリーダ以外は考えつかなかった。繰り返し繰り返し――エドワードを見やりながら――彼らはその申し出をはねつけてきた。本気の度合いは減ってきてはいたが。今日のこの日（記憶すべき日になるだろう）、雨が降る火曜日、彼が晴雨計を叩いたから、彼がため息をついてジャネットのコートを脱ぐのを手伝ったから、去っていった彼女の客が彼には面白くなかったからという理由で、彼の拒否という不吉な仕組みが静かに崩れた。何年もの間それは貝殻だった。今日は結局、ありていな週日の一日で、空疎で、個性はどこにもなく、人生の道徳的な要塞が音もなくむしろ投げやりに放棄され、周辺から最小の反撃すら起きなかった。そして宗教は変えられ、独身生活は放棄され、結婚生活は破綻し、というか個人的な尊厳に最初にして最大の亀裂が生じた。ロドニーとジャネットは突然理由がわからなくなった、なぜエルフリーダがコンシダインとともにバッツ・アビーを訪問してはいけないのか。

五時頃、まだ黄昏にならないうちに、子供たちは喧嘩を始めてしまい、一人ずつ勉強部屋からセコティンを手に付けたまま出てきた頃、午後の郵便が届いた。レディ・エルフリーダが書いてきた、日曜日はいかがかと。「残念だけど、それは無理」とジャネットはすぐ思った。そして手紙をまた読んでから、ロドニーにその大意を告げた。「彼女のコックが病気だって。彼女は屋敷を閉めたいんですって」

「それに彼女は君にも会いたいんじゃないか」ロドニーが言った。「むろん彼女はそう言わないが」彼はその女性が好きだった。おまけにロドニーが望む以上の大雨になり、エルフリーダの友達であるジャネットが、自分でも気づかないほど手持無沙汰に見え、コンシダインが彼の神経に障《さわ》り（あのあくび、猫みたいな、彼の仮面の一つなのだ！）、エドワードのタブーが突然我慢できなくなった。ロドニーはもはや、エドワードがもっと好きではなかったのを後悔していなかった。「別にないさ」彼は言った。「彼女が来てはいけない理由など」お茶をさらに注いでもらおうとカップを押し出しながら彼は言った。「いずれにしろ、僕には彼女がいいな」ジャネットが急いで言った。

「でも、コンシダインに帰ってとは言い出せないでしょ」

「それはできないな」

「だったら、二人がここで……?」

「いいじゃないか?」

「でもエドワードが……」

「どういう意味か……」

「ええ、私だってわからないわ、ロドニー。でもそうなると……」

「エドワードには悪いが、人生は何かと生きていかなければならないのさ――いいじゃないか、やり過ぎたって、ジャネット。お茶はカップ半分でいい。水で薄めるから」

ジャネットはケトルを傾けた。ロドニーは「人生」について滅多に話したことがないので、ジャネットは驚いてしまい、欲しくないのに自分のカップにも注いでしまった。「でもそうなると、ローレルが自分の子供たちを連れ出すべきではないと思うかもしれない」彼女とロドニーはその可能性を考えた。だが思い知らされるだけだった、ティルニー家の子供たちは、両親の見るところ、いまいる場所にいるのが一番なのだ。

レディ・エルフリーダの訪問は何の支障にもならなかった。コンシダインは楽しみにした。彼女はスタダート大佐がいた階段上の正面にある四柱式寝台《フォーポスター》のある寝室を引き継ぎ、家事手伝いのハウスメイドが大型の衣装戸棚の内張を新しくした。ハーマイオニは全速力でペン拭きを仕上げた。

「この頃はペンを拭く人なんかいないわよ」アナが批判した。「バッグは私が花で飾るから」ハーマイオニは家にいる娘なので早く位置についた。ペン拭きと、椅子の背にかけるカバーと、ラベンダーの匂い袋を、中味を入れ忘れた匂い袋を。彼女は社交で年に二回生きいきとなった、「子供《ナーシング・》祭り《フェト》」と教会のバザーの時で、彼女はそこでドライフラワーの小さな花束を売り、バザーの最後のお楽しみであるくじ引き《ラッフルズ》の手伝いをして、出店をした人たちをほっとさせた。エルフリーダが来ることをどう思うかについて、誰もほかの誰かに訊かなかった。彼女はこの世のものならぬ光を放つ訪問者のように、その週の晴れた大空を鳥のように滑空し、全身を見せて舞い降りてきて、誰にも文句を言わせないで、土曜日の頂点に降り立った。彼女は信任と離反を演出した、おそらく見たことがある噂の幽霊のように。

　エドワードがジャネットに手紙を書くことは滅多になく、今回も書かなかった。結論を出したのはローレルだった。

……そして、あなたは天使だわ、ああしてアナにピンクのスモックをくださるなんて。彼女はエドワード宛に牧師館のお茶のことを詳しく書いてきました。あの子は生まれつき面白い子だと思うの、そうでしょ？　もちろん私たちが強いたわけではないし、彼女に何か「コミカル」なことを見せたわけでもないのよ。もちろんあなたはエルフリーダについてあなたが思うことをしたらいいと思う。もちろんあなたはロドニーに同意するのが正しいのよ。彼女には変化があるといいと思うの。先日ここに来たときは死んだみたいな顔をして、タクシーを四十五分も待たせたの。心配しないでね、私たちには地震が起きたみたいだったとしても。エドワードは何も質問しないので、どうかエドワードについては質問しないでください。彼はこの夏ものすごく疲れてしまい、これ以上何かに対処するのは無理だと思う。子供たちが問題だったら、家へ帰らせてくれないかしら？　電報がいつあってもいいように準備しておきます。だけど、もちろん子供たちはものすごくがっかりするわね。

（カーペットのことで人が来たので）

私は地震が起きたというほどには感じていないの、でもね、あなたに二度と会えないのか、あなたが変わるのか、それとも絶対に七月ではダメなのか。思えば笑っちゃうわね、私たちのカーペットは絶対に色褪せないと思ったなんて。いま来た男はひどいのよ、彼が言うには、クリーニングしてパイルがふっくらするなどと期待していないでしょうね？　だって。もちろん期待したわ。でなかったらクリーニングがあんなに高いはずがないわ。彼はカーペットを売りたかったんだと思うけど？　だけど、まあ、そうね、あなたがバッツ・アビーで幸せならいいの。――許してね、ジャネット、お宅のようなお屋敷にはもっと眺望があればいいと期待してしまうわ。でもカーペットと同じようなものかもしれない。これからクーツ家の人と一緒にチェルシーのラネラ・ガーデンズに行きます。

これについてエドワードがどう思うか、訊いても無駄よ、だって、私は知らないんだから。赤いジョーゼットを仕立てたところなの、ボレロも一緒に。でもミセス・クーツはとっても色褪せた感じがするブロンドなの。私たちも色褪せるわね――ああ、サイモンとアナが喧嘩しそうになったら、何か面白いことを言って笑わせてください。私はいつもそうしているの。でも彼らは本気で喧嘩はしないのよ。ところで彼らが言うには、ハーマイオニがテディベアを全部捨ててるって。彼女がそんなことすると思う？

ジャネット、私はじつは怒ってないわ。そう見えても仕方ないけど、ロンドンが猛暑なんだもの。至るところが全部芝生だったらいいのに——そうね、あなたも同じように感じるでしょう、もしロドニーだったら、ね？

　ともあれ、あなたはエドワードがどう感じているか知らないほうがいいと思うけど、どうする？

「ロンドンは暑いって、ローレルが書いてるわ」ジャネットはそう言いながら手紙をたたんだ。彼女はいつもローレルをかばってきた。ロドニーは彼女に対してただ公正と言うだけでは足りないくらい公正だった。「エドワードは何も言ってないそうよ」彼女はそう補足した。

　コンシダインはすでに新しい男だった。露がびっしりと降りて、漆喰の表面が光り、この現在が屋敷の束縛を緩めた。コンシダインは前よりも声を上げてしゃべり、人間的に広がり、切れ味が出ていた。ジャネットですら一女性として彼に対した。彼は彼女ののろまなこと、彼女の美しい手足、重い瞼、そして礼儀正しさについて意見を述べた。彼はロドニーを理解し、この二人を恋人同士だと考えた。今日はめでたくも土曜日で、日光が熱い刃になっていた。エルフリーダはお茶の頃には合流するだろう。回想はせずに、コンシダインは彼女が来るのを待ち受けた。

4

レディ・エルフリーダは、大きな明るい帽子をかぶって湖への坂を降りていき、滑りやすい芝生の上を注意深く歩き、湖水を迂回した。湖は丘の輪郭を囲んでいて、両端に水流が流れ込む水門があった。流れは障害物から解放されて曲線を描きながら、細い渓谷へ入り、細い流れに戻ったのを喜んでいるようだった。この平原一帯には芽を出した菖蒲《ショウブ》と濃い色の蘭の花が点々と突き出していて、なだらかな登り坂の向こうには、花盛りの六月が横たわっていた。天と地が光の中で結ばれている。木々と芝生の上に青く、はっきりしない金色が花粉のように散らばる天空があった。非常な暑さだった。だが湖は土手の急斜面にびっしりと囲まれ、土手は樹木の木陰に覆われ、独特な景観があった。田園地帯に面してはいなかった。起源はチューダー朝以前にあり、一時はアビーの釣り池で、いまなおその魅力と栄光をたたえ、さらに近い礼儀正しい世紀の使用には適応せず、その世紀に屋敷が再建され、ロドニーの果樹園にあった見晴らし台を切り離した。ここでハーマイオニは釣りをし、いまも鯉が数匹ひっそりと動き、ハーマイオニの釣り針には気づかなかった。絶望した彼女は釣りを諦めて船が浮かぶにまかせた。

レディ・エルフリーダは、誰も見つからないので湖を見た。彼女は、暗い水面だけの自分が映っていない光景に、エドワードの困惑を見た――それとも無念だろうか？　私が間違っていたのか？　だが、若き日の非行の感覚は彼女の訪問のさいにも影を落とさなかった。来たことを悔やまなかった。自分の訪問が微妙なバランスに触れたことに気づかないで、彼女は自分がここで見出したことに喜んでいた。彼らは「調子がいい」。日々は高度な楽しみの状態で威厳があった。エルフリーダは、すぐに我を忘れたが、ここでも我を忘れた。あの醜聞の非難（苦闘した）に熱くなりつつ、彼女は無垢であり、着る物のセンスがない女のように、何が似合う水準なのか、それを友達に問い合わせねばならなかった。バッツ・アビーでは、何も間違っていないと彼らは思っているようだった。もう一度コンシダインとともにいるのが嬉しかった。エルフリーダの見るところ、彼は、この家庭的な形から現に多くを手に入れ、ジャネットの見方では、エルフリーダの存在が提供した社会的な向上と明るさからも多くを手に入れていた。ロンドンでは、一年かそのくらいの間隔で、コンシダインとランチやディナーをするときは、彼らの態度の中にある悲しい慣習に彼女は押しつぶされていた。だがここでは、新たな自発性があった。彼女はただ漠然と、彼らはかつては間違っていたと思うだけだった。

早朝に、または彼女には早朝に――エドワードの子供たちが、朝食のトレーが入ってくるのに続いて、彼女のベッドにお行儀よく近づいてきたとき、コンシダインの甥の娘が、さらに姻戚関係の度合いを高め、ドアの辺りに巣を造ろうとしているスズメのようにとまっていた――つまりは、血縁関係と姻戚関係との致命的な差異がエルフリーダに非常に強くのしかかった。その時刻には良心が背骨の中心に在って、微妙にやすらいでいた。そして清潔な若いティルニー家が彼女のベッドの横に立って、その時刻ならではの強烈さで、否認する全家族の力を再現していた。彼女はたしかに罪を犯した、しかるにいまはただオランダレースのキャップをかぶっている、そこに成熟した日光が射しこんでいる、『ザ・タイムズ』の経済面をすぐにも探し出そうとしている（彼女は投資していた）、あるいは——彼らが信じていると彼女は信じているが、祖母としての役割に反して——朝食には卵を断っている。一方、若きメガット家は彼女の化粧台にとりついて、彼女の化粧品を総ざらいし、怠慢を咎めないで、彼女の真珠を片づけてあげた。

昨日はまたバッツ・アビーに到着が一件あった。エルフリーダとコンシダインは、シオドラから逃げるために外に出ていて、今日は共犯関係が新たに感じられた。スカイラインを避けて、窓からはなれ（テラスが危険だった）、木々の間に急いで入り、土手を下り、悲しいことに、お互いにはぐれてしまった。だがここに来てコンシダインは陽気になり、用心して湖に下り、「危険なし《オール・クリア》」と合図した。もう一度二人きりになった。

シオドラの到着は全員を少なからず動揺させた。彼女は到着をドーヴァーから電報で知らせ、ロンドンで車を拾い、約束したように、ディナーが半分済んだ辺りで彼らに合流するよう、食事のリズムを手がたくチェックしていた。階下の作業部は耳障りな音をかすかに鳴らしたあとに元に戻り、またスープを作りはじめた。メガット家のシオドラに対する態度は運命的だった。彼女はまたもや彼らと一緒になる運命だった。シオドラにとって心変わりは受け入れられなかったが、マリーズと彼女は、ときには冷静な確信をもって決定を取り消した。したがって、彼女らは「芸術的」ではなかったが、彼女らがどこでそうならないかは予想のほかであった。今回は、計画の頓挫とチロル地方の天候の破綻がチロル地方の名を汚した。彼女らは警告しないでイギリスにもどり、大陸を捨てた。フラットは貸してあったので、マリーズは自分のクラブに当たってみたが、空いた部屋がなかった。シオドラはバッツ・アビーに電報を打って、いまから行くと言った。シオドラにとって、ジャネットに会うことも大事だった。

バッツに着いたシオドラは、そこにいる一行の構成に驚かなかった。驚きというものはつねに、興味をその中に含んでいる。彼女に何が欠けていようと、彼女の礼儀が欠陥を漏らすことはなかった。エドワードをメイジーと呼ぶ以外は、ティルニー問題は考慮しないとすかさず決めたようだった。ディナーの席に着き、濃い色のコートとスカートにはおかまいなしに、彼女は見下すような目で一行をさり気なく眺めた――エルフリーダの見る影もなくなった美貌、コンシダインのドライな洗練ぶり――誰かが飼いならした有名な豹のように檻と一緒に村祭りに貸し出されたみたいだった。

「期待してたの」シオドラはジャネットに言ったが、ジャネットはやっと一人になれた人みたいに陶然とした空気を漂わせていた。「少なくとも、また二週間は海外にいられたらって」

「ウソみたいにいい考えだ」ロドニーが愉快そうに言った。彼らはこんな関係だった。一方でコンシダインは自問していた、「どこであの魅力的な声を聞いたのか？」と。彼は、嘆くのをやめる前に、レディ・ハンター・ジャーヴォアを忘れてしまっていた。

「でもここにいるんだわ」シオドラがまたジャネットに言った。事実、ジャネットと彼女はここにいた――わずかな努力でロドニーとその他を全部追い払っていた――文字通り顔と顔《テート・ア・テート》を見合わせて。

だから次の日、つまり今日、ジャネットは彼らすべてから離れて連れ去られた。ジャネットは付きまとわれるのに慣れていなかった。今日という日、シオドラの注目はすべてジャネットの動きに絞られていた。ジャネットは取り調べられていた。ジャネットの未婚の友達は見るからに戸惑っている。どうやって一日を満たすのか、それが計算外なのだろう。

しかし、「私はあれこれ訊きたいのです……」彼女は続けた。「ああしてこうしてについて、見ておきたいの」

「まあ！　本当にそうしないといけないいの？」

そこでシオドラは、皮肉に我慢づよく、煙草を次々とレンジや缶やローラーや、「オフィス」のたくさんのドアで押しつぶし、一方オフィスは——ジャネットに断りなしだったことは言っておくが——黙って機能していた。「私にはわからないわ、どうやって『世話する《シー・アフター》』のと『手配する《シー・アバウト》』のを区別するのか」とシオドラがコメントした。「人が自分でやるのか、自分でやらないのか。お願い、説明して、ジャネット」酪農場で彼女はクリームをスプーンですくって食べ、バターの味見をし、吐きたくなったが帰らないと言った。洗濯場の湯気の中で、彼女は妖精《ジニー》のような怖い顔をした。「マイ・ビューティフル」彼女はついに感想を言った。「大騒ぎするのね？」ジャネットは思い出そうとした、シオドラは前回もこんな風だったかどうか、そして、もしそうなら、なぜ彼女が来ることになったのかを理解しようとした。

ブリーチ・グリーン交差点を横切ると、厩舎の丸天井の高い所で鐘が揺れて、青い空気からその響きがはじけていた。鳩が一羽か二羽旋回している。「十二時だわ」ジャネットが言った。

「それで、さあ、どうするの？」

ジャネットは、嘘はつきたくなかったが、手紙を書かないといけないのと言った。図書室に入ると、ジャネットはファイルを調べ、記録簿を開き、鍵をかけた引き出しから小切手帳を取り出した

——そして銀行の提案の精査に没頭した。シオドラは図書室を巡り歩き、煙草の箱をカチカチと鳴らした。ジャネットは黒髪の頭を傾けて集中した。考えること、することがたくさんあった。未払金があったのだ。「彼らがあそこに——」彼女は思わずため息をつき、レディ・エルフリーダとコンシダインが窓の外を通った。彼らのホリデーはまだ終わらないのだ。果たして彼女は、この夏の最初の晴天の日々にあって、——彼女の目に映る最初の夏だった。その季節が彼女のために立ち止まってくれた、彼女にまともに微笑みながら——完全に自分を解放できたのか？ 彼女自身はまだ生きていて、感情を統制しなくてはならない。彼らは若くして死んだみたいに見えた。彼女は生きた——この手紙をすべて見るがいい。彼女は万年筆のキャップを回してはずした。「さあ、これからよ」ため息が出た。

「誰がこれからなの？」シオドラが嫉妬して訊いた。

「エルフリーダとコンシダインよ」

「うわあ！ その手紙、そのうち終わりそう？」

「ディア・シオドラ、あなたがうろうろしていると、書けないの」ジャネットが控えめに言った。

「ダーリン、あなたに手紙は書けないわ。私にくれた手紙を見てごらんなさいよ」

図書室はたしかに息苦しくなっていた。ジャネットには神経がないと彼らはみな憶測していた。彼女は、瞬き一つなく、同意していた。シオドラには刺繍をしていてほしかった、それとも座っていてほしかった。彼女は思った、シオドラは退屈している、シオドラは私が好きだと。もう十二時だった。あと二十分で一時というときに、彼女は横切ってソファに行き、ぼんやりと座ろう、もしシオドラが怒らなければ、そして彼女だけに注目して、言ってやろう、「さあ、シオドラ……？」

と。

　それからシオドラの言うことに耳を傾けることにし、一時十五分になったら子供たちが入ってきて、手を洗ってランチになる。彼らはスイス人のメイドのメスの孔雀みたいな金切り声を無視した。ジャネットは外に出て、責任者としてのメモを追加しなくてはならない（メモ　アナがハーマイオニを怒らせたか？）。一方、もしもアオバエが図書室に入ってきても、彼女は気にしない――どうして窓に金網を張らないのか、アメリカ人のように？――そしてもし誰かがドアに来たら、彼女は顔をしかめるだろう。彼女は耳を澄ませる。いつも何かがシオドラに降りかかるのだ――何かとは、たいていエドワードに関することだ……。彼女は責務を果たす。「さあ、シオドラ……？」彼女は言って、記録簿を閉じた。

　だがシオドラは辛辣になっていた。愚行を大目に見ることができず、子供の時間のことで何か言った。だがジャネットは愛想よくそこに座り、自分の両手を見た。これが彼女の友達らしさであり、たんなる気質の一端だった。

「彼らはいつまでここにいるの？」シオドラはそう言って、芝生の向こうを不気味に見やった。

「誰のこと？」

「あなたのカップル」

　しかし、シオドラはもしこんな風でなくても、何かになるつもりもなかった。「ああ、際限なくいて欲しいわ」ジャネットが言った。「よく知らないけど」

「で、気の毒なエドワードは何と言ってるの？」

「知らない」

「知らないほうがいいわ」シオドラがきっぱりと宣告した。「さあ、はっきり言うけど、何かが起きる頃だわ」

「でもねえ、シオドラ、あなたには出来事が多いわね」

シオドラは即座にこれを却下した。「ここ二、三日って、すべてすごく楽しかったんじゃない？ あなたってとても大胆だったわ、ジャネット！」

「私たち、彼らが二人とも大好きよね。私たちが自然にできないのは、どうしてかしら」

「あなたから聞くにしては、すこし奇妙な感想ね」シオドラが重々しく言った。

「そうお？……チロルのこと聞かせてよ」

「とんでもない、私はチロルの話をしにここに来たんじゃないの。あなたは幸せだった？」

「ええ、とっても、ありがとう」ジャネットが言った。窓を背にしてここに座っていると、芝生の緑が壁に沿って、磨かれた書棚に、高脚戸棚に照射しているのがわかった。これらはすべて暖炉の明かりをあびたような実体のない資質があって、波紋もない水面のような静寂の中に引きこもっていた。開いた窓から夏が涼しい部屋を通り、彼女の肩に触れた。「お天気が続くわね」彼女は言いそえた。

シオドラはソファのはじから滑り降りて、心地よいクッションの山に着陸した。玄関ホールで引き返していく足音がした。彼女は感じた、みんな承知しているのだ、ジャネットが、ここには長居しないシオドラに「うまく対処している」のを。

「実際に」彼女は声を上げた。「レディ・エルフリーダはバカ者だわ。私を出し抜きたくてたまらないのよ。結婚式のときは二回とも、その他のときにもずっとそうしようとして。私が話し終わらないうちに笑いだして、言うのよ、『あら、ウソ、あなた本当に?』って。実際に彼女は、ほかの人が面白いのが我慢できないんだわ――そうよ、哀れな愛すべきコンシダインを見たらいいわ、あなたを見たらいいのよ!　彼女は自分だけのお粗末な視点が好きなの。まったくもう最低の女だわ――ああ、聴いてよ、ダーリン――まったく無意識なんだから――」

その間ジャネットはゆっくりと思い返していた。「でも彼女はルイスが好きよ。彼は間違いなく面白い人だけど?」

「いいえ」ルイスの妹の友達が言った。

「それにハーマイオニも面白くて笑える子だと思わない?　彼女はハーマイオニも好きよ」

「ともあれ、私がハーマイオニの名付け親《ゴッドマザー》だから」

「もちろんよ」ジャネットは同意しながら、友達のマナーの急変に驚いた。「ハーマイオニはあなたに憧れているのね」彼女は言い足した。

「彼女にはそれがいいのよ」シオドラが低く言った。「で、彼女はエドワードに憧れてる?」

エドワードはハーマイオニの名付け親《ゴッドファーザー》だった。ロドニーの発案だった――そして、どうにもこれは、とシオドラは思った、これはデリケートでない、と。彼女はジャネットの横顔を見た。彼女らはいうまでもなくルイスに依頼するつもりだった。だがルイスは「大勢の名づけ親《ゴッドファーザー》」だった――ロドニーが突然別の意思表示をしたのだった。ルイスはマリーズに言い、マリーズはシオドラに言った、エドワードとローレルは、その時、その話を不安に思い、どういう返事をするべきかわからなかったと。その後も引き続き、彼らはこの種のことで頭を悩ませた。バッツから贈られるキジや花々、冬は海外でジャネットと共にというローレルへの招待など。当初、エドワードは呆然としてその日を過ごした。いまは土曜日や誕生日、家族の祝い事の時など、彼の名づけ子《ゴッドドーター》が、取っ手が二個付いた、本物のトロフィーで、皮肉めいた荘厳さのある銀のマグの中に自分が金色に反射しているといって、マグを傾けて見せた。父親ロドニーと結ばれたこの至高の絆がハーマイオニに与えたものは、メガットの非行に関するティルニー家の意向という観点から見て、アナとサイモンのその上をいくハーマイオニの唯一の道徳的な優位性だった。

「で、もちろんよ」シオドラは続けた。「レディ・エルフリーダは私には退屈でたまらないの。イギリスの聖堂のうちもっとも退屈なのが彼女よ、引き潮と大きな沈鐘があるわ」

「ナンセンスなことを」ジャネットは優しく言って、こんなに頭がいいのをシオドラが喜んだらいいのにと思った。

「それに私、観察もしてるの――」

事実、シオドラはあの消滅した罪を振り払えなかった。彼女の憤りは意外に見えた。しかしあの古い裂け目は、いまはとても明るい緑色になって、彼女が思うに、ジャネットの景色の中の感情に訴えてくるエドワードの消えない姿を説明していた。犠牲になったという論法にシオドラはまったく同意できなかったが、彼女はエドワードの子供じみた苦悩を許せただろう、これが永続しないなら。彼女はこれが彼に与えた身分保障は許せなかった、ジャネットの精神に課された譲渡不能の所有権だけは。

シオドラは大間違いをしていた。ジャネットはエドワードを哀れだとは見ていなかった――仮に哀れとわかっても、動じなかった。彼女の裁定はおおかた家庭が基準だった。命令されるのが嫌で、深い悲しみ《グリーフ》と苦情《グリーヴァンス》の種を見分け、苦情の種は対処が遅れた結果だとして非難した。ジャネットはエドワードの傷あとを見るのを拒否し、揺るがなかった。彼女の意識の中にエドワードがおろしている根は、疑っていたジャネットを愛するしかない人が抱く致命的な不安であり、シオドラは最初の彼の印象を振り返ってみたかもしれない。若い男が、花婿なのに、行事から疎外され、窓から出て行った時を。彼女はあの結婚式の日を、彼のためらい、すなわち道を間違え恋人のためらいが致命的な最高頂に達したものとして、記憶にとどめていたかもしれない。ローレルの妹のジャネットがエドワードの実態をつかむ一瞬が、どこかで、いつかあったとしたら。彼女の眼差しが彼から完全に離れたのを彼が気づかないはずがない。どの眼差しから、どの瞬間から、彼らは心ならずも暮らしはじめたのか？　質問は出なかった。問われなかったが、その問題はいつも彼女の手の届く所にあった。問われない問題は、返答されることもなく、エドワードの関心の外にあった——だが彼は関心に苦しめられた。一度だけ彼らは喧嘩した、ロンドンの暑い夜のことだった。いまジャネットの無関心を騒がすのは不可能だろう。

だが無言の問題はまだ彼女の手の届く所にあった。切迫していた、ハーマイオニのように（賢い彼女は、追いやられたくないときは、息を殺し、完璧に身を隠し、何も言わなかった）。まさにハーマイオニのように、母親とべったりで、つねに居座っていて、それが間に入って彼女の気をそらせ、ほかの親密さを不可能にした。どんなときもジャネットと二人きりになるのは不可能だった。

時計の針が動いて十五分すぎた。陽気なカップルの影は、また芝生を横切って、壁を超え、書棚を……。ふと、エドワードの筆跡が封筒にあり、彼の名前が気軽にジャネットの言葉に出て——シオドラは、ハッとして、大崩壊の可能性を目にした。ジャネットのたたずまいが危ない感じになってもなお平静を保ち、薄手のグラスまたは皿にフルーツを高く積み上げ、曲線と曲線のバランスをとって倒れないようにしているようだった。花瓶を倒す、とか、皿をジャネットの手から振り落としたりして、シオドラはただ叫んだ、「あなたはまだ彼を愛してる」と。

度を越した一種の正義。だが暴力はシオドラの好みでなくもなかった。バッツの人が彼女のことを多少大袈裟だと判断しても、彼らは知るよしもなかった、彼女が一度ドアの羽目板を蹴飛ばしたことを、一度レマン湖で騒ぎ、カヌーを転覆させ、誰かがカヌーまで泳いできたことを。ジャネットは、シオドラを危険人物とは見ていなかったが、会話の終わりにこの友がまだ胸のうちを晴らしていないことが不安だった。シオドラの煙草の灰をクレトン更紗のカーテンから払い落として、彼女は言った。「残りの人たちはお茶に出るでしょう。マリーズのこと、話して欲しいのよ」

「ロドニーもいるの？」

「きっとロドニーもマリーズのことを聞きたいと思うの」ジャネットが言った。

5

ティルニー・ヘアーはすぐ伸びる髪の毛で、額の上にはこんもりと、下はうなじへ伸びた。サイモンにもそれがあった。ハーマイオニ・メガットが美容院に行くようになるずっと前に、サイモンの見た目が「芸術的」になり（前髪を垂らしていた）、彼の性格とは釣り合わなかった。「おかっぱ頭《ボブ》」が縁取る間に、アナの顔は爽やかな若いお小姓から喜劇役者に没落し、両端で外にはねた。シオドラが、到着早々に、指摘した、ティルニー家の子供たちはいきなり劣化したわねと。彼らの祖母は、不利な二人を初めて見て、驚くほど二人を励ました。彼女の爪鋏では効果が上がらなかったので、彼女は二人の子供を自分でマーケット・キートンにある美容院に連れて行くと言い出した。彼女は思った、結局のところ、我らティルニー家は、ともに発つべきだと。したがって、ある日の午後、コンシダインは嫌がっている子供たちを彼の車の後部座席に押し込み、彼らのむき出しの膝が離れて、熱くなったクッションに焼かれた。レディ・エルフリーダは帽子のヘリで顔をかくして恐ろしい太陽を避け、前の座席に座った。コンシダインが運転することになっていた。

ジャネットにはティルニー家の代わりになれる感性はなかった。しかし、彼らの祖母の翼が二人を覆うのを見て少し嬉しくなった。「おばあさま、優しいのね」彼女はそう言って、車の中を覗きこんでアナに手袋を渡した。それからまた石段を上がり、ドアロの暗がりに立って、出発を見送った。ハーマイオニは、はしゃぎすぎていて、彼らと一緒に行かなかった。私はいいの、と彼女は言った。レディ・エルフリーダはジャネットの伝言をメモしたリストをハンドバッグの中にしまっていた——あら、たいへん、もう一つのハンドバッグだった、ちゃんと見てよかった！　ハーマイオニはこれやあれやで三回も二階へ飛んでいき、それからアナの祖母のパラソルのためにまた飛んでいった。しかしたいそう静かに出発するのはいいことである。

たしかに暑かった。レディ・エルフリーダが濃い緑の風景を名残惜しげに眺める中、彼らはブナの木々の下を走りぬけた。こういう一時間、明喩《シミル》はすべて食後になった。グースベリー・フールのデザートのように、静寂が彼らの背後で閉じた。車の速度は午後の明るさを乱し、サラダみたいにした……。しかしロンドン住まいの彼女にはロンドンに行く愛があった。彼女のそばにいるコンシダインは喜色満面、パナマ帽と顎に上機嫌が出ている。彼はどんな場所も消化してしまう。生垣は野性の薔薇の蕾《つぼみ》でとがり、泡のようなシャク《カウパースリー》の白い花に覆われた丘は、すぐに農場になってしまう。広告板が次々と目についた。赤と黄色のガソリンポンプが、市民の行列のように、ロンドンの一マイル先から彼らに向かって行進してきた。

「マーケット・キートンも『発展中』だ」コンシダインが残念そうに言った。

「変化するのね」とレディ・エルフリーダ。この場所にはスキャンダルの連想があった。

彼らは不安だった。ヘアドレッサーは起きているだろうか？　ここのタウンホールの時計が誰もいない広場に向かって三時を打った、誰も聞いておらず、柱の穴にぶつかっただけ。明日の市場のための屋台も立っていない。ネコが一匹、あくびをして午後をしるした。歩道が眠そうに光っている。肉屋の上からピアノが眠りながら演奏している。道路全体に文字入りの日除けテントが低く張られ、女たち、少女たちが今日のための短いコットンドレスを着て、日陰から日陰へと横切る。町は知らん顔、風と太陽の海辺の町になっている。自然に逆らって、明るい影、明るい非現実的な快楽がその上を踏んでいる。張り出し窓のある家々が、平らな漆喰塗りがところどころで膨らみ、日影にはゴシック様式の銀行が粘板岩《スレート》に刻まれて睨んでいる。向かい側には煉瓦の「北斗七星《プラウ》」が光り、バッコス神の夢のようだ。

ヘアドレッサーは起きているに違いない。彼らは電話を入れた。

コンシダインはアナにアイスの約束をしていた。車はロウギアにして路肩に沿って進んだ。アナはわき見をして町を調べた。町の娯楽施設についてはあまり言うことがなかった。金物屋が多すぎて、店はブリキや繊維製品、中身がぎっしり詰まったバケツやカーペットブラシが誰を招くでもなく、ぶらぶらと左右に揺れている。人生は避けられないのか？　彼女はホッとした、婦人が二鉢のジェラニウムを買ったのを見たときだった。振り返って見ると、鉢は青い紙で包まれていた。婦人と花屋はあくびをしていた。菓子屋は設備がみすぼらしかった。そうだ、アイスにはトウモロコシの粉がまざっているのだろう。時間も場所もダメだ……。ランペルマイヤー[*1]の店を彼女は何度も通ったが、いつも父親と一緒で、ロンドンミュージアムに行く途中だった。

他方、サイモンにとって、ここは帽子しか売っていない町だった。リボンの色は薄くて、棚の飾りだ。彼の友達の自動車協会《A・A》の男は、持ち場にいなかった。薬局の窓にベビーフードがピラミッド型に積んであり、カメラはなかった。薬局の窓にある、人が欲しがるようなカメラをコンシダインに見せても害はなかっただろう。

だがみんな彼らが誰だか知っていた。素晴らしいレンガ造りの家が大通りに面して並んでいた。アナには自信があった、みんな見てる、カーテンがチラッと動いた。ペチュニアの暗紫色が祖母の帽子の色だった。ティルニー家は、要人扱いに合わせて、みなそろって車から出た。ヘアドレッサーが待ちかねてドアに出ていた。それに、一時期、彼女は盛んに新聞に出た。ボンネットから上がる熱気のおかげで犬たちは魚のように泳ぎ、ドアは水面下の葦のように揺らぎ、女たちは泳いだ。コンシダインはエンジンを切り、腕を組むと、その場で眠り込んで、膝が内緒でうなずいている。暑いのか？　コンシダインには問題なかった。レディーズ・サロンの窓から見ると、アナの目には、首の回りに糊のきいたケープのボタンがかかっているせいで、そのまま見下ろした彼は寸詰まりに見えて、クモというよりはあしながおじさんのようだった。もっとも確かな筋によると、アナにはコインシダインの悪い性格がある。

レディ・エルフリーダはこのヘアドレッサーがヘタなことがすぐわかった。「吊鐘型にカットしてね」彼女ははっきりと言った。「先端はそうじゃないの――マッシュルームみたいになるように。ハートのジャックはダメよ、あれは恐ろしいわ、そうでしょ？　わかったわね、あなた？――ちょっと待って、鉛筆を貸して――」

その間、ヘアドレッサーはアナの毛先を安全に一インチだけ切った。

「お母さまは毛先をこんなに切っちゃうのはお好きでないと思う」ヘアドレッサーが仕上げたあと、アナが言った。

「あら、あら」レディ・エルフリーダが叫んだ、彼女は料金表を見ていたのだ。「仔馬さんみたいに見えるわね」彼女はヘアドレッサーにいかにも友達らしく言った。「パーマをかけたように見えるけど？」

「たしかに、奥さま——」

「あら、いいのよ——鉛筆が欲しいんだけど」

「お母さまはジャンヌ・ダルク風がいいの」アナがすかさず言った。

「ああ、私はどっちでもいいの、田舎ですもの。素敵にさっぱりしていれば。フェイスマッサージもなさるの、ミスタ・ヘスケス？」

彼女はこう付け足すつもりだった、「知らなかったわ、この辺の人にフェイスがあるなんて」と。彼女が門の向こうやドアまで行って出会いたかったのは、何か血色がよくて変化のあるもので、手本にはしないが、楽しめる自由な外観だった——「面差し」と言うべきか。しかし彼女は心配そうに階段を上がった。「できたら」と彼女は言った。「この少年の髪の毛の下に何もつけないでほしいんだけど？」

だがもう手遅れだった。ジェントルマンズ・サロンではすでに紫色の油をサイモンに塗っていた。レディ・エルフリーダはアタマにきて、私たちはもうできるだけ早く食料品店に行かないといけないと言った。「できるだけのことは、してちょうだい」彼女はそう言って、けなすのを忘れて、鏡の中のアナを見やった。「左右の長さが同じなら、見た目にはいいんじゃないかしら」

「自分でするより、もっとひどいみたい」ぶすっとしてアナが言った。

「あら、とんでもない。可愛いわよ。さあ、魚を見に行きましょう」

「コンシダインおじさまが私にアイスを買うと言ってたと思う」

「あら、ダメよ、アナ・ダーリン、いまから薬局に行かないといけないの。ロドニーおじさまは目が粗い金網が要るのよ——注文しておいたの、別の日にしましょうね」

「でも別の日だったら、別のアイスをもらえるのかしら」

　この少女の外観が台無しになったことを考えると、これくらいの要求はできただろう。シオドラが誰も聞きたくないことを言うのはたしかなことだ。シオドラはずっと忌まわしい少女だった。この頃では、容姿は素敵だが、必ず何か問題があった。彼女は弱点などを必ず責めたててくる。妙な話だが——彼女はエドワードと結婚したかったのか？　あの青い帽子ではその資格はなかっただろう。それに、あのとき彼女は十五歳だった——そして彼らが最初に出会ったのが彼の結婚式ではなかったか？　だから、それはできない相談だった。おまけに彼女は女性に情熱があった——不器用で、振る舞いが重く、食事のときの吐き気のような。あるいはこれは演技だろうか、そうやって人を笑わそうとしたのか？　彼女はエルフリーダをヒステリー同然にしたからだ。たしかに人々はもっと奇妙だった、あるいはそういう人たちに会っただけなのか？　これまでの年月が、破局はまだ最近のことという感覚を残しながら、雨のあとのヒキガエルみたいな、奇異な人たちを連れてきたのだとしたら？　おそらく彼女は喜ばせたくて——だがそれが不安の原因になったのか？

　レディ・エルフリーダはぶらぶらと車のほうに行った。

「ああ、アナのアイスよ、コンシダイン」彼は反射的に半クラウン銀貨を取り出した。「哀れなサイモンが臭くない？　誰かに彼を洗ってもらわないと。彼にもアイスがあったほうがいいわ」

「私たちだけで入らないほうが」アナがしとやかに言った。

コンシダインにとって、エドワードが、何よりもまず、生まれていなかったら、もっとよかったのだろう。とはいえ彼は、帽子を顔から少し傾けて従順に車から出てくると、ティルニー家を見て微笑んだ。それを見て、彼の魅力がわかる彼女は、もう一度あの呆然自失した恋愛の休止を説明しなくてはならず、情熱そのものとして前向きに、阻止できない洪水のごとく、それが二人の上に降りかかったのは、ついに二人がパリでお互いのためにいられた時だった。あの問い合わせ、かろうじて感じられた彼の小休止、顔と顔を見合わせながら、彼が一瞬にも満たない間一時停止状態《アベイアンス》になり――その一瞬にも満たない一刻を彼女は永遠のものとし、動かぬものにすると、ついにそれは、かすかながらも、生きている心と身体をまっすぐに貫いて駆け下ったのだ。彼は変身したのか？彼女には生きている犬の使い道はなかった。死んだライオンの口には蜂蜜があっただろうが。

「車は？」アナが促した（彼らは逮捕されたも同然だった）。

「どこかに停めるよ」コンシダインが言った。三人はティーショップに入った。中は日光があふれていて、大理石のテーブルは触ると熱そうだった。窓の中ではハエが長い口吻でモスリンを突き刺して菓子パンを荒らし、まだ物欲しそうにガラスのベルの上をうろうろしていた。

「私は食料品店に行って、それから薬局に行くわ」エルフリーダは彼らの後ろで叫んだ。「だからあなたは車を持ってきて、料金を払って。あとで場所は捜すから」

　食料品店では、大収穫があった。ジャネットのはっきりした筆跡が彼女を堂々と振る舞わせた（彼女がハロッズに来てコックが書いたリストで買い物をするときは、絶えず恥をかかされた）。彼女はジンジャーの容器にする青い陶器の壺をハーマイオニのために自分のお金で買い、手袋をおが屑の中に落とし、みんなにお礼を言ってその場はおさまった。可愛いネコがパラソルの上でじゃれていたが、すぐ行ってしまい、残念だった。

だが薬局は、中がカメラの中みたいに暗く、彼女はさっそく察しをつけて、町に来るのではなかったと思った。薬剤師が計量器を回ってやってきて、重大そうな特別な様子なので、彼女は危うく言いそうになった、「来ないで――」と。だが彼女は逃げなかった。伝言があった。ミセス・メガットが電話していた。「へえ?」とレディ・エルフリーダ。薬剤師のマナー、殺菌剤、カウンターの後ろで助手がケナガイタチみたいに物を包んでいる、コダック社から派遣の女性は、時代遅れのストライプのドレスで、愛想笑いを絶やさず、薬剤師がまた口を開く前に、彼女はくたびれてしまった。

ミセス・メガットはレディ・エルフリーダにはできるだけ速やかに電話いただけたら幸いですと伝えていた。薬剤師は電話をどうぞと言い、前置きに、懸念も見せた。何か運命的なものに引かれるような強い感覚がして、彼女は体をすくめてたくさんのガラス瓶の後ろに入り込んだ。薬剤師の助手は包むのをやめ、彼女は通りに声を聞いた。それから、通りで、店内で、家と家の間で、暑い都会の静寂が彼女の不安の下で微片に分解し、室内の空気に突然太陽が射したみたいだった。

ジャネットは待っていたに違いない。電話にすぐ出た。

「エドワードが来るわ、もうここに。子供たちを町にすぐ連れて帰るって、この午後にも。みんな、できるだけ急いで戻れますか? 彼らにそう言ってください」

「いったいどうしたっていうの?」

「よくわからないんです」

「彼が――退屈してるのね、ジャネット?」

「ええ」

「薬局から電話してるんだけど」

「知ってます」そう言ってジャネットは電話を切った。

言うことはもっとあったに違いない。これは彼女のお得意の沈黙の一つか、彼女が視線を避けるのは、雄弁にすぎるではないか。それともエドワードがそばに来たのか？　カウンターに戻りながら、レディ・エルフリーダはジャネットのリストから注文品を伝えた。「包んでおいてくださいな、私たち、戻ってきますから」だが彼らは戻ってこなかった。

アイスは、明るいピンク色で、その色の味がして、ウェハースではさんであった。アナは胃が麻痺してしまい、もう三つ目を食べていた。これが楽しい、ということなのだ。天使のような何も感じない顔を受け皿のほうにうつむけている。サイモンは一口大きくマカロンに嚙みつき、それからラズベリーエードをストロー二本ですすり、その二本を同時に降ろした。コンシダインはアナに彼のアイスも食べたらいいと言った。そして座り、足を開いてテーブルの鉄の脚に乗せ、こいつらはまるで小さな乞食だと思った。エルフリーダは彼のもてなしに制約をつけなかったので、子供たちはなぜ自殺が許されていないのか、彼にはその理由がわからなかった。彼は自分の満足がどう見ても運命的ではないという悔いがあった。

サイモンがひと休みした。「あなたの肘のところでスグリの実《カラント》が二つ潰れてるよ」彼がコンシダインに言った。彼らの前のテーブルで誰かがバンベリーケーキを食べている。

「シミになるわ」アナがそっと言い、彼はカラントを取り除いた。「コンシダインおじさま、あなただったらアイスをいくつ食べられる?」

「六つかな」コンシダインはすぐ答えた。

「あら、私に食べられるかな……」

「おばあさまがすごく怒ると思う」サイモンが静かに言って、もう一個ケーキに手を伸ばした。

彼の妹が答えた。「怒らないわよ、彼女のせいじゃないもの」

コンシダインは才覚が女にあるのが好きだった。「そんな言い方があるか!」彼が挑発的に言うと、アナは、いままで社交的な外観を欠いていることに怒っていたので、自分と同性の女たちに加勢することにした。コンシダインのほうにもたれかかって、自分の手から彼の顎まで見て、自信たっぷりに言った。「ハーマイオニはいつも気分が悪いの。気がついてた?」

「君の父親もいつも気分が悪かった」コンシダインは昔を懐かしむ風に言った。

「お父さまは不幸せだったわ」彼女はどこか誇らしそうに言った。

「そうだね」

「彼には本当の家庭がなかったの――サイモン、次のケーキを取るべきじゃないと思う、いまのを飲み込むまで」

「飲み込んでやるぞ」サイモンは言い訳がましく言った。

「ああもう、あんたときたら《チュ・クウクウ》!――それに、袖にもカラントが一個くっついているわよ、コンシダインおじさま、可哀想なスーツ! 私たちの父のこと、好きでしたか?」

コンシダインはウェイトレスがいないか見まわした。「もう一つアイス!」

「だけど、子供のことは好きでしょ、ね? 彼にクマをプレゼントしたし」

サイモンは急いで飲み込んで言った。「彼にカメラをプレゼントした？」

「エドワードにクマをあげたんじゃないの？」

「きっと」とサイモン。「彼は嬉しかったと思う。僕だって嬉しいよ、誰かがカメラをくれたら」

「あれ、彼はクマが気に入ったんだろ？」とコンシダイン。「それは誰にもわからないか」実際のところ、彼は思い出していた、エルフリーダは、あのクリスマスの前の夜に、プレゼントにクマがくるまれて登場して以来、クマの話を持ち出したことはなかった。彼はただ、ほかのルートから聞いていた、エドワードがヒステリーを起こしてベッドに連れていかれたと。

「彼は動物があまり好きじゃなかったのね」アナが考えて言った。「あのクマはここに送り返されたの、おばあさまがパリで暮らすことになったときに。いまは蛾にすごく食われちゃって。可哀想じゃない？」

「どうして君が知ってるんだ？」コンシダインが急《せ》かすように訊いた。

「ハーマイオニから聞いたの。彼女はクマも見せてくれた」

サイモンは座って、ストローを親指に巻き始めた。「どんなのでもプレゼントは素敵だと思うな」届かぬ願いのように彼が言った。

サイモンが出すヒントは手に負えなくて、恐ろしく当たり前すぎて、たどることも握りつぶすこともできない。彼はほとんど常に成功していた。アナは彼を認めなかった。短くなった前髪を叩いて彼女は社交的に言った。「ときどきヘン《クィア》な感じがしない、ハーマイオニと私が本当のいとこだなんて？」

「しないね」コンシダインが強い口調で言った。

「あら、私はそう思うの。そうよ、私はラッキーだわ。興奮しないし、吐き気もしたことがないの。私たち、すごく違った性格だと思う……」

だが彼女はもうどこにもいない——コンシダインはさっさとドアのほうに向かっていた。

エルフリーダが入ってきていた。細長い店舗は暗い鏡のせいで過去のように狭くて足の踏み場もなく、そこに入ってきた背が高い彼女は、うわの空で、船出したばかりの船のように、苛々して速度を計りかねていた。彼女の派手な帽子が日光の焦点だった。彼女は、ガラスのカバーの下で毎晩毎晩新しいのを入れ替えないケーキのように、締め切って腐った午後を騒がせた。何となく近づいたが、入るというよりは待っているみたいだった。この無関心ぶりは、いままで千回近づいたうちの一回で、究極の出会いと挨拶を偶然が持つ魅力あるものにし、コンシダインにとって千一回目の新しい経験だった。彼女は彼の中の未知の人を呼び出し、その人と会った。子供たちは、彼が近づいていき、希望に満ちて、立ち止まったのを見ていた。

「やっと来たんですね」彼はそう言って立ち上がった。

「もう、私たち、みんなですぐ家に帰るのよ」レディ・エルフリーダが叫んだ。「さあ、アナ、いらっしゃい。サイモン、楽しみよ、あなたのお父さまが来ているの」

「どこに?」

「バッツに」

「でも彼はロンドンにいるよ」

手を伸ばして彼らの帽子と上着を取り、急いで彼らの椅子を引いて、彼女は彼らがなぜ幸運なのか説明した。「エドワードが?」コンシダインが言った、無表情だった。彼女は彼の不信感に顔をしかめた。彼女は理屈に合わない要素があった。「もう、サイモンたら、こっちよ！」彼女は金切り声で言った。「いいわ、ケーキを持ってきていいから。あなたたち、二人ともロンドンに行くんですよ」

「どうして知ってるのよ？」アナが疑って言った。

「バカな質問はしないで」

子供たちにはわかってきた、誰かが間違っているんだ。

「すぐ？」とサイモン。

「なぜ？」とアナ。

「サプライズがあるの――お楽しみ！」

「お楽しみじゃない」とサイモンが言い、アナは反対した。「私たち、やっとここに落ち着いたところなのに」これはおふざけに相違なく、列車でロンドンに行ったら、父はアメリカの山賊ごっこを二人でしたらいいと思うだろう。ピーター・パンとウェンディの家の当主、ミスタ・ダーリングのような父親が好まれただろう、ピーター・パンのほうではなく。アナは、母親の子育てに関する本は全部読んで中味を知っていたので、熱波の中に飛び出すのは子供には悪いと彼らに言ってもよかった。必ず吹き出物が出るわよと。

「私の洋服は全部クリーニングに出ているの」彼女はそう言って、威厳を持って立ちあがった。

「興奮しているみたいね」祖母が叫んだ。「コンシダインおじさまと私は、サプライズでロンドンに行きたいのよ」

「だったらなぜ行かないの？」アナが冷たく言った。

「ああ、困らせないで、アナ！」子供たちはたしかに始末がつかなくなっていた。帽子をおかしな角度にして、それを見せびらかしたまま、彼女は彼らを車に急がせた。アナは自分たちがいかにお利口か誰かに見てほしかった。一方、エルフリーダは考えていた。とにもかくにも、何とかうまくおさまった、と。「子供たちはいい子なのよ、もし静かに付き合ってやれば」彼女はコンシダインに言った。子供たちのこの外観はなるほどショックかもしれないが、エドワードには有益なショックだ。そしてローレルがサイモンを洗って消毒してくれるだろう。暑い列車の中で彼はさぞや汗臭いことだろう、可哀そうに。

　コンシダインは助けにならなかった。「なに、僕は奇妙だと思うよ」彼は涼しい顔でそう言い続けた、「エルフリーダ、その子を静かにさせて。アイスだらけじゃないか」と。彼は車の周囲を歩き、そして一つひとつタイヤを蹴り、エンジンをのぞき、次は体を折って自動スターター《セル》の上で考えに耽《ふけ》った。彼は思った、「大騒ぎ」の再燃か、丈夫な多年草というやつだ。さて、エドワードは幸運だった。感情に割く時間のある青年はほとんどいない。ホワイトホールのほうに相当時間が……。だが人は絶えず聞いている、「哀れなエドワードはオーバーワークだ、あんなに忙しそうに……」と。道徳超過敏症《モラル・ハイパーシーン》だ。「おかげさまで、彼は僕の息子ではなかった。当時僕はエジプトにいたから」

「もっとたくさんガソリンが要るようだ」コンシダインはエルフリーダに打ち明けた。

「そうなの、困るわ！」

「マイ・ダーリン、どうにもなりませんよ、もし切れたら」

「きっとお母さまが死にかけてるんだ」アナは車の後部でそう思った。

「手荷物は？」

「いいえ、ないわ、ないの。そうだ、魚を取りに行ったほうがいい」

彼らが門から入ると、レディ・エルフリーダは前方にエドワードがいるのが見えた、速足で苛々しながら歩き、黒っぽいスーツのまま通りに出て、まっすぐ町に向かっている。彼女はコンシダインに合図をした――車を止めてくれたらいいと思って。しかし車の音を聴いてエドワードは道をはずれて、木々の向こうへ、手も振らないで。

＊1　オーストリア人のアントン・ランペルマイヤー（Anton Rumpelmayer, 1832-1914）が創業した菓子店で、一九〇三年にパリに店を開いたのに続いて、ロンドンのセント・ジェイムズ・ストリートにもランペルマイヤーカフェが開店した。

6

「知ってます」とジャネットは言って、受話器を置いた。これ以上言うことはなかった、事実は順序通りではない。それに、エドワードはテラスから入ってきた。ここの電話のある場所は特別だった。唯一の通信手段、それが玄関ホールにあった。

エドワードは彼女を驚かさなかった。砂利道で彼が立ち止まったのを彼女は聞いていた。その前に二度彼は窓を通りすぎていた。行って戻ったと彼は言った。その間歩き回っていたのだ。彼が階段を上がってきたとき、彼女は一瞬彼を照り付ける太陽に晒《さら》し、揺れる彼の輪郭が戸口を暗くしていた。

ジャネットは複雑な気持ちで言った。「あなたのお母さまだったの。子供たちを連れてまっすぐ戻りますって」

「そう？　ありがとう、ジャネット……。ここにいると暑いな」

「そのようね。でも残念ながら、五時三十六分に子供たちを乗せられなくて。七時五分でいいかしら?」

「僕は気が狂ったと、母は思ってるんじゃないの?」彼は突然そう言って、電話をチラッと見た。

「――じつのところ、いくつかの物はあとから送ることになるけど。ハーマイオニのメイドが午後は出かけるから。ローレルにそう書きましょうか――彼女も戸惑うかもしれないし――あるいはあなたが忘れずに彼女に伝えてくれる?」

ローレルはエドワードが動揺を抑制すると期待したことはなかった。彼女が自発性について抱く強い感情に基づいてそう判断していた。だから彼は、ジャネットが補足した叱責に籠められた決定的な口調に驚いた。「あなたが帽子もかぶらないで出て行く理由が思いつかないの」

彼は悩んでいたのか? 彼は手で頭をかいた。

彼女が言った。「では、図書室に行きましょうか?」彼女はとても忍耐強かった、この人は病身に違いない。だから彼の心配はしない、彼はのめり込み過ぎて気分が悪いに違いない。家庭的な緊急事態として、彼は自制心をとりもどした。

「シオドラはどう――?」

「ダメなの、ロドニーを捜しにやりました」

「つまり、どうかな」エドワードはそう言って、恐怖の念で図書室のドアを見た。「僕らは話し合ったほうがいいようだね」

「そう思うわ」

「それともどこかを歩こうか?――あそこの木の下とか?」

「あなたがいいなら、私はじっとしているけど、エドワード。一日疲れたでしょう」

そこで彼は彼女の後について行き、運命的な空気を漂わせ、図書室のドアを閉めた。背の高いマントルピースのそばに立って、ジャネットは皮肉な正式なマナーをかろうじて保っていた。これからインタビューになるのだ。かくして、彼女は、少女の時、トレヴァー・スクウェアで彼を激怒させたのだった。いまは、もっと穏やかに、定着し、彼のホステスとなって、自分の優位を棄てていた。

彼はテラスからこの季節の彼女の森全体の壮麗さを見ていた。偉大な植物が日光をその生命力で抱き取っていることを、彼の放心状態に肉体的な支配をきかせているとは思いもせずに。彼は土地の美しい輪郭が穏やかな力に抱かれているのを見ていた。彼女はスカイラインを手にしていた。空と広大な午後は彼女によって取り囲まれ、その地方の特色を出している。彼女のテラスにやっと踏み入った彼は自分の全領域を計っていた、不毛で穴だらけの感情の領域を。

「悪かったね」彼が言った。「こうして君の邪魔をすることになってしまって、何もかも」

「あなたがそうしなければと感じたんでしょ」

「でも君はいったい何を期待してた？」

彼女はまだ彼のほうを見なかったが、その風情に紛れもない純真さがあった。「望んでいたのよ、あなたが物事を自由に通すかもしれないと。私たち、尊敬してたわ、あなたの――あなたの感情を、とても長い間ずっとよ、エドワード」

「ああ、知ってるよ、君が……」

「知ってる？」彼女は嬉しさのあまりいったん息をとめ、そのあとに沈黙の競演が続き、その間彼女は身じろぎ一つしなかった。

ついに彼が声を上げた。「だが、どうしていまさら？　何が変わった？　どうしてなんだ、いま、いまになって僕は、君たちみなが不可能と呼ぶものでさえないなんて？　どうして僕の母親がここでコンシダインと一緒にいるんだ、いまになって、この年月すべてをわきまえず、アナとサイモンもいるのに？」

「なすべきことの一つに思えたの」ジャネットが言った。「素敵だったわ」彼女はこう言い添えて、数分が過ぎても、訂正の言葉はなかった。

「難しいことは君には一つも見えないのかい？」

「さあ、どうかしら。これで自然に見えたのよ」

彼女の不自然な自然観……。彼女は、彼のすぐそばにいる、薄暗い見知らぬ人だ。彼女は——あの頃の厄介な少女時代に入ったように——ある理解が二人の間にあると見なしていた、言葉もなく、運命的に愛もなく。

「でもそういうことって、変わったりするかな？」エドワードが言った、彼は、彼女が彼を見ようとしないので、彼女を見ようとしなかったが、彼女も見ている物に自分も目を凝らした、燭台の三角形だった。

「私たちみんな、すごく年を取ったわ。子供たちがもう一人前の人間ですもの。間違いなく到着したんだわ——」これが事を難しくして、彼女は考えるのを諦めて続けた。「私たちはあなたとは疑わしきは罰せずでやって来たのよ。私たちはこの家で空間とか何かをあまりにも取り過ぎている。もちろんロドニーがコンシダインの甥だったのは不運だったけど、あなたがエルフリーダの息子だったのは、それほどの不運ではなかった。私ははっきりと感じるの、私たちはもうほかのことを考える時期に来ていると。健康に悪いわ、そう思うでしょ？　ブラインドを下げたまま部屋の中にいたみたいで、いつもお葬式が進行中だったみたい」

「それは当然僕がいけないんだ」エドワードは固い口調だった。

「そうじゃない」彼女はあっさり言った。「だけど人は実用的にならないと。この家は大きくないのは知っているでしょう。友達がここに来たがるけど、夏はとくに。友達に来てほしいわ。それが私たちの理想の家庭なの。夏は実際に短すぎるのよ、私たちの友達が顔を合わせないようにするには。コンシダインにここを、彼の家を出て、クラブに行ってと頼んでばかりいられないわ、イギリスにはほとんどいないにしても。あなたのお母さまにコックなしでロンドンに滞在していただくわけにもいかないわ、だって彼女は命が危なかったんだから――ええ、文字どおり危なかったのよ。あなたが彼女を彼女をそんな目に遭わせたのじゃなかった？――そのことで、私たちはシオドラを断れなかったわけ、彼女のフラットが貸し出されたのを、オーストリアは雨続きだったし、彼女はあなたのお母さまをうんざりさせるし、コンシダインをいじめるけど。あなたのお母さまとコンシダインはお互いに楽しいのよ。私はあまり友達ができないの。姉妹という間柄をのぞけば、二人の人があんなに幸せになれるなんて、いままでまったく知らなかった。もしあなたが、かつては互いを不幸にした人が、互いに仲良くしているのを子供たちが見るのがショックなら、もちろんあなたが彼らを連れ去ったらいいわ。それだけのことよ、エドワード。アナとサイモンがどこまで知っているか、私は知らないけど、何が起きたのかを彼らが聞く時が来たら、このことつまり彼らがいま見ていることは、彼らのいい記憶になるんじゃない？　そうでないなら、子供たちの成長にあなたがどうやって耐えるのか、私にはわからない」

「きっと僕は耐えられないね」エドワードは思わずそう言った。

「ああ、エドワード、ふざけないで！　だったら彼らはなぜ生まれてきたの？」

「でも彼らの世界は――」

「でも結局は、世界は一つあるだけなのよ。そして当然それが時に気まずいのね、部屋をシェアするみたいに」

「君は楽しみと言うが――彼らは互いにもうとっくに終わってるよ。君もわかってる、みんなわかってるんだ。不幸なことだった。彼らは結婚すらできなかった」

「でも、彼らは楽しんでる。おそらくあなたと私にはわけがわからないのよ。彼らは同い年で、物を見る角度も同じ、一緒にいるのが心地いいのよ。あえて言うけど、私たちはみんな、彼らの目には少し滑稽に映るんだわ。私はそれでかまわないけど、あなたは？　たいていいつも、彼らは多くのことを自分たちだけの秘密にしてるに決まってるわ。彼らは同じことに驚くでしょ。話すことも……」

「彼らには言い残したことなどないさ」

「多分なかったわね、あの時は」

「彼らが恋をしていた時のこと？」彼は信じられなくて叫んだ。

「私にはわからない」ジャネットが言った。「私には言うことがあまりないの。そうでしょ？」

「僕にはわからない。君は僕に一切話さなかった」

「ねえ、これって何の役にも立たないと思う」ジャネットが叫んだ。「私にもっと続けて欲しいの？」彼女は蠟燭立てを移し、もう一つのほうを時計に少し近づけた。エドワードは彼女から離れて図書室の奥へ行き、書棚に近づいて何冊か凝視した。「うん、続けてよ」彼が言った。

「彼らの話は……友達がどうなったかとか、投資がどうなったとか、彼が何をしたか、彼女は本当は何をしたかったか、二人とも何が嫌いか、とか。それから温泉とか場所とか結婚とか――」

「結婚だって？」

「人が誰と結婚するかよ」

「どうして君にそれがわかる？」

「彼らの話を聞いたのよ」

「で、そのどこがとくに子供たちにいいの？」

「――いいわね、エドワード、もう喧嘩はよしましょう――だってあの子たちはあ、な、た、の子供なんだから！」

彼はこれを彼女にゆだね、その言葉の確認のために黙り込んだ。彼女は最初に戻るほかなかった。彼は本を戻した。これ以上の理解は進まない。彼らはその言葉を間に残したまま、袋小路に入った。「エドワード――」ジャネットが口を開いた。彼女の態度が初めて折れた。絶望がよぎり、あまりにも個人的で、あまりにも積極的だったので、明かりを持ち込んだようになり、その中で話の全体が揺らめき、少し小さくなり、やや簡単になった。「こんなの、何にもならない」ジャネットが言った。

沈黙がまたこの表面に降り、ガラスの壁の向こうに彼女は締め出された。彼女は力なく立って、自分の人生を眺め、取り戻しようもなく、自分の心の習性を見つめた。これは、長く住む人がいなかった家、感じることもなくすぐ空き家になる家のように、再訪しても中は空虚、過去にすら自らは不在だったという苦しい感覚をたたえていた。「私はここにいる」と彼女は思い、マントルピースを押した、マントルピースは二、三か月経てば炎で赤く染まるのだろう。しかし大理石の手触りは手ごたえが減っていた。石が温かいのか、あるいは、彼女の手が冷たくて、冷たさに無感覚になっているのか。この部屋でさえ、天上の高いまともな図書室は、窓の外の緑を映しながら、ジャネットとエドワードは不在、二人は振り向いて別々のドアから出たみたいに、あるいは最初から入ってこなかったのか。

エドワードはあたりを見て、ものを言おうとした。しかし――「エドワード」と彼女が突然問いかけた。「どうしてあなたはここに来たの、今日という日に？　つまり、どうして今日だったの？　彼らはここに一週間いるのに。もう一週間以上も前よ、私がローレルに話したのは」

「わかってるさ、君の手紙は憶えてるよ」

「私たち、できたら、あなたが気にしなくなるほうがいいと思って」彼女はしおらしく言った。

「そうだったの？」エドワードは興味を感じて言った。「僕は自分が気にしたかどうか知らないけど。ただ面食らってしまって。物事は理解されたと思っていた。でももし君がそう思うなら、僕は何もできない。あるがままにするだけさ。マイ・ディア、もし君が一日に九時間働いているなら、破滅などどこにもないさ――ああ、破滅なんか何でもないさ――僕は仕事のほかは、一週間、何も頭に浮かんでこない。夕飯に戻って、庭園を歩いて、あとはさっさと寝たよ。いますごく美しい子犬がいて、僕が外に連れ出すんだ。僕は勝手に思っていた、君を信頼したことはなかったとばかり、だから、問題なかったんだ」

「ええ、そうね」ジャネットが言った。「でも、だったら、なぜ今日は気になったの？」

「手紙が来てね」

「それがどうして……」

「ローレルがシオドラから手紙をもらったんだ」

「彼女たちが文通しているなんて、知らなかった」

「文通などしてないさ」

「じゃあ、彼女は何を書いてきたの？」

「それは言えない」彼はきっぱり言った。

ジャネットはこの種の手紙が彼女の家から出たなど、考えたこともなかった。そして思った、

「残念だわ……。ぞっとする」と。それから声に出して言った。「話してくれたほうがいいわ、もしあなたが本当に心配なら。でも私があまり注目するべきではないわね。シオドラは奇妙ね。あれが彼女なりのユーモアのセンスなんだわ」

「君は理解していないよ」

「まあ、そう、当然ね。手紙を見せてよ」

「いや、見せられない」エドワードが青くなって言った。「それは絶対にできない！」

「ナンセンス」ジャネットは言い、苛々して手を差し出した。

「ああ、わかったよ」とエドワード。声の調子が上がり、無関心な冷たい高音になった。彼女の心の平穏など、彼にはどうでもよくなった。彼はポケットブックに目を通し、バッツ・アビーのお馴染みの青い便箋の折りたたんだのを取り出した。「さあ、どうぞ」エドワードが言った。家が崩壊しても知らないぞ。

シオドラは書いていた。

……楽しいわよ、私にはすごく退屈だけど。毎日がうだるように暑く、牧師館に行ったり来たり。一度、テニスをしに出ました。だけど、夜は完璧な「艶《えん》なる宴《うたげ》[*1]」だった——残りのみんなにとって。窓枠は一晩中冷えないの。私は図書室の外に座って——誰も私と一緒に散策してくれない——子供たちは上で外に座っています。ツチボタルのコレクションを調べたり、おばあさまについて話したり——考えられないでしょ！　私は忘れたんだけど、アナは話に「出た」子、または話に「出なかった」子？　出なかった、ほうだと思うけど、もしかして、彼女はそれほど独創的ではないわね。私は思うの、次に書くけど、人々はうんざりして罪を犯すのよ——。でもね、ディア・ローレル、私にわかるはずないわね？　アナを鼻であしらわないでね、彼女は素晴らしいわ。それに、彼女は成長しても失望が待っている。一方で、芝生は八月の熱い遊歩道みたいよ。人々が笑顔で通り過ぎます。ロドニーとジャネットはツチボタルをもっとたくさんつかまえて、子供たちのコレクションにしています。ロドニーとジャネットらしいわ、ジャネットは互いに愛することができない人だけど、ここでこれを見世物にするなんて。

さらに続く。

　インスブルックはこれ以上退屈になれません。間違いなく私が悪いのです。最後の若い男性を私は鼻であしらいました。それに、私は自問しました。彼らはみな仲良く素敵にやっていました――はっきり言うと、彼らはいまもよ。そこで私は座って手紙を書いているの――あなたにもね、ディア・ローレル――あなたたち二人もここにいたらいいと思うけど、残念ながら、あなたにはそれは無理よね。残念だけど、七月になると雨が降るでしょう。みんな夜は室内に座り、バッツのことも半分しかわからないわ、バッツは可能性にあふれているのに。でも、もしかしたら、あなたはそのほうが気に入るかもしれない。そしてジャネットは必ずや完璧な妹ね。彼女が酪農場で大騒ぎするのを、きっとやめさせてね。いつもバターは十分あるのだから。彼女がもっと何が欲しいのか、私にはわかりません。夜は彼女の髪をブラッシングしてあげています。私は梳《と》かすのが上手なの。断じて彼女に髪を切らせないで。

ジャネットは読みながらも、遅々として進まなかった。そしていま、表情をまったく消して、また手紙を読んだ。「でも考えられない」彼女はやっと言った。「どうしてローレルがこれをわざわざあなたに見せたのか」そしてあとで言った、「だけど、ここには私が知らない真実は、一つもないわ」と。

だがエドワードには、手紙の様子、または、彼女が読んだ事実そのものが、その手紙全体にある苦しい意味を新たに見せた。ジャネットが完璧に受け身でいるのが彼には痛みの元凶と思われた。

「でもあなたは知ってるわね」彼女が言った。「シオドラってむしろ――私の憶測では、むしろはねっかえりなのよ。なぜなのか、知らないけど。サードマン家はみなとても素敵だけど」

「それはいまここで問題にすることじゃない……」

「いいえ、それが問題なのよ。シオドラがそれほど退屈してるとは思わなかった」

「いや、彼女は嫉妬しているんだ、明らかに――君はどうして彼女に髪をブラッシングさせるの？」

「気になる？」ジャネットはそう言い、またマントルピースに目をとめて、蠟燭立てをまた時計のそばから少し離した。

「僕は何でも気にするみたいだね、どうだろう？」エドワードが苦々しい口調で言った。「僕はどうしようもないいね」

「どうしようもないいんじゃない、嫉妬してるのよ」

「誰に？」彼はすぐ言った。

「あなたのお母さまに。彼女はとても楽しく過ごしたらしいわ。たぶん私たちも」

「自分のために話すんだ、ジャネット」

「いつもそうしてるわ。だけどあなたは耐えられないのよ、あなたを中に入れないで事がどんどん進むのが。あなたの振る舞いって、列車に乗り遅れた人みたいよ。本当よ、エドワード」

「僕の身に起きたことは、仕方がないさ」

「あなたには何一つ起きてないの」

「やめてくれないか？」

「ええ、そうね」彼女はまだ手紙を持っていた。そして手紙の次にマントルピースの中を見たが、そこには何もなく、ただ冷たい丸太が積まれていた。そして多少曖昧に、ひけらかすこともなく、手紙を二つに裂き、また裂いた。重苦しく垂れこめてから、彼らの間の空気に溶けたのは、俗悪な有害な濃い煙だった。「すべてがこうなるのね。子供たちは――おそらくハーマイオニもアナも――推測していたのね、あなたのお母さまの何が間違っていたのかを。彼らはゴシップを耳にしていたのよ。そうだとしたら、きちんと彼らに話すべきだと思うの。まだ暑いから、夕飯のあとで家の外を歩いて、シオドラには退屈でしょうが、彼女はグループ内の残り鬼《オッド・マン・アウト》だから、彼女が来なくても、私たちのせいじゃないわ。それからもちろん、私たちは微笑むのよ、それがシオドラやあなたにはとても耐えられないことらしい。シオドラはロドニーと私の結婚がサエないと思ってるの。おそらく結婚のほとんどがそう見えるんでしょ。彼女はあなたとローレルを怒らせたくなかったのね。想像もつかないわ、あなたと彼女がシオドラに丸め込まれるほど愚かだなんて……」

「……『見世物』はどうなってる？」

「それが本当じゃないのは知ってるでしょ。相手にしないわ」彼女は冷たく言った。

「でも君はそれが嫌なんだ」

彼女が言った。「話し合う値打ちもないことだと思う。私とロドニーに関することなので、あなたは、エドワード、放っておいていいかもしれない。手紙は破ったし」

エドワードは、いつの間にか彼女のそばに来て立っていて、マントルピースの上に置いた彼女の手が固くなったのを見た。「不幸なことだ」彼が言った。「君たち二人がこうした前後関係に巻き込まれたのは。――君が言うとおり、あれがシオドラの態度なんだ。彼女をここに置いたのは君の間違いだったと思う。――でもね、事の次第を明らかにしろと求められていないから、僕のことを歪んでいると非難するのはフェアじゃないよ。慎重に処すべきなのは君のほうだ。わかっているでしょう、僕がしゃべると必ず何かを踏みにじってしまう。君は何一つ通さない。君が僕に言わせるすべてが僕には屈辱になる。僕の言うことは僕自身じゃない。この全体の経緯が嫌でたまらない！」

エドワードは激しい口調で言った。

「あなたが自分でここに来たのよ。来る必要はまったくなかったのに」

「君に会わなければならなかった」エドワードは短く言った。

「あなたはあの手紙を私に見せたかったのよ」

冷たく高まってくる興奮が彼女の態度の下にあって、それが熱病のようにエドワードに伝わり、その効果で現実味が拭い去られた。だから、彼の思いは、苦悩にあえぐ自身から離れ、たがの外れた大胆さをおびた。思いどころか、感情からも離れた。そして熱病の中で解き放たれて重さのない思いが道路から道路を下り、あるいは森を通り抜けて、立ち止まり、一軒の家あるいは一本の木を見つけて、これと完全に融合し、逃亡の希望を通り過ぎた家または木になり、エドワードの思いは止まり、一点で燃え上がった、恐怖と願望が円を描いて回るその一点で。エドワードはジャネットだった。「もし僕と君が恋に落ちていたら――でも、僕はそれを望まなかった」彼は明言した。彼は一瞬の半分の間、彼女のまなざしを初めてまともに受け、そのまなざしが彼のまなざしを逃げるように見すごすと同時に、彼女はドアに向かっていた。

＊1　フランスの詩人、ポール・ヴェルレーヌ(Paul Marie Verlaine, 1844-1896)が一八六九年に発表した“Fêtes galantes”のこと。

7

「とても素敵だね」ロドニーはそう言いながら陽気に入ってきて、エドワードに挨拶した。

彼には言うまでもなく抜け目ない考えがあり、それは素敵どころではなかった。シオドラは、ハーマイオニにぴたりと追跡され、畑を急いで横切って、エドワードが来たとロドニーに伝えた。エドワードは警告なしに、憤慨して、馬車で、スーツケースもなしにやって来て、堕落しつつある子供たちを連れ去るために来たのだった。危機を楽しむことで出てくるシオドラの自発性が、彼女をほとんど愛らしくしていた。彼女は見るからに輝いていた。一方ハーマイオニは、踊りながら、当然お得意の境地にいた。

「何かアイデアがある？――」ロドニーはシオドラに用心しながら聞き出そうとした、みんなで歩いて戻っていたときだった。

「思いつかないな――」シオドラはしおらしく打ち明けた。実際のところ、彼女はこれを望んだことはなかった、いくらローレルの到着でも。

ハーマイオニは、シオドラの腕を振りほどいて、熱心に口を挟んだ。「エドワードおじさまは発作を起こしたか、お葬式に来たみたいに見える。馬車のお金も払わなかった――払わないといけないんでしょ？　私は走って出たの、もちろんよ、そして言ったわ、『キスして、ゴッドファーザー！』って。そしたら彼が言ったの、『いまはできないよ、ハーマイオニ』って――彼はいつだってとても礼儀正しいのよ――そして私をポンポンと叩くんだけど、私はもういなかったの。お母さまが出て来て、言ったんだ、『マイ・ディア、エドワード！』って。彼が馬車のお金を払わなかったときに。彼は言ったわ、『大丈夫さ』と、そして彼女が『ローレルはご病気？』と言うと、彼は『いいえ、僕は子供たちのために来たんです』と言ったの。私は言ったわ、『みんな行っちゃったわ――みんな、髪の毛を切りに、おばあさまとコンシダインおじさまと一緒に』って。彼が言ったの『どういう意味？』って。だから私は言いました、あなたは子供たちをちゃんと見るべきだった！って。――彼はちゃんと彼らを見るべきだったわよね、シオドラ？――そしたらお母さまが私に言ったわ、興奮しないの、と。だから私、中に入って、玄関ホールに座ったの」

「私は彼に飲みものを出しました」シオドラが言った。

「そのとおり」

「でも彼はいらなかったみたい」

「ええ？」ロドニーが言った。そして彼らはみんなこう感じた、二人の若い女性は喜んで、嵐が来る前に急いで中に逃げ込んだものと。だがいまの場合、嵐はこれからだった。

「可哀そうに、アナは。彼女はここにいられないわよ、子供祭りには。彼女はふすま《ブラン》を、ひとすくいバッグに詰めていたのに」ハーマイオニが言った。

「どうかな、エドワードは気持ちを変えるんじゃないかな」ロドニーは言ったが、自信はなさそうだった。

「私はたぶん、ブランのソース《ディップ》の面倒を見ないといけないと思うの。私がくじ引きの商品としてヤギを出して、そしてボタンホールに挿すお花飾りを売るの」

「おしゃべりはもういいから、ハーマイオニ」ロドニーが言った。

「だけど、厄介なことになるわよ、お父さま。厄介なことにならないかしら？　私がヤギにブランをやらないで、お花飾りも諦めたら。お乳が出るヤギなのよ」

「そうだね、厄介なことになるね」

「アナはもうれつに恐ろしいことを何かしたの？　彼女のお父さまは取り乱してたわよ」

　エドワードは心の中で取り乱していたかもしれないが、ロドニーはある不安を抱いて図書室のドアに近づいていた。しかし間違いなく、心配なかった。誰だってある点までは人に頼る。エドワードは二度目のドリンクを断らないだろう。あるいはそれが失敗しても、間もなくお茶になるだろう（いまさら彼は何を騒いでいたのか？　彼は一週間もこれを傍観していたのだ）。ジャネットは変わらぬ才覚で、お茶を早めに注文しただろう。そしてロドニーは、心から握手したあと、こう言えるはずだ、「ああ。お茶か！　ちょうどいい……」と。

　実際のところ、彼が図書室に入ってすぐ目にしたのは、相変わらず苛立っている一見していつものエドワードで、煙草にうまく火を点《つ》けられないでいた。ジャネットは、何かに気を取られることがほとんどない女で、片方の手を書類でいっぱいにして、テーブルの見当ちがいの反対側で屑籠を捜していた。「左のほうだよ」ロドニーは驚いて言った。すると彼女は、手に持った家事用の青いメモ用紙の書き損じのかたまりを振ってみせた。ロドニーは、ジャネットとエドワードが難しい手紙を誰かに書き始めていて、途中で諦めたのだと思った。

「で、ローレルは元気？」ロドニーが言った。

「ああ、暑さに参っているみたい」

「残念だよ、彼女が一緒に来られなくて」

「ああ、じつはねえロドニー、いまジャネットに説明していたんだが、ローレルはいろいろな理由で子供たちを連れ帰ってほしいらしい……」

「連れ戻すのかい？」ロドニーが言った。「それは残念だなあ……」

「うん、残念だよ」エドワードが熱くなって同意した。「君は彼らに素晴らしい時間を与えてくれてるから」

ロドニーは目でジャネットを捜していたが、彼女は目を合わせるのを拒否した。そして窓のほうに行った。コンシダインがいまにも入ろうとしていたので、彼女は彼に伝言のメモをつけて追い出さなければならない。あるいはこれは、すでにエルフリーダの身に起きていたことか？　ともあれ、自動車には要注意だ。彼女はハーマイオニを外に出して、彼らを阻止するべきか？　彼女は書き物机にかがみこんで、伝言を走り書きして、その紙を破り取った。一瞬より長くロドニーの目が彼女に戻ってくれと懇願していた。それから、彼女が「出て行って！」と言ったみたいに、彼は文句も言わずエドワードに注意を戻した。

「ハーマイオニはがっかりするよ」彼が言った。「彼らは来週のために、いろんな物をたくさんとってあるんだから――ねえ、どうしてローレルは二、三日割いて、ここで合流できないのかな？」

「それは残念だが、不可能だ」エドワードは残念そうに言った。

ジャネットは最小限の動きで、ほのめかした。「事を難しくしないで」

「君が感じるままでいいんだ、むろん」ロドニーがエドワードに言った。それから、「で、お茶はどうなった、ジャネット？」と。

「忘れていたわ」ジャネットは驚いたように言って、ドアのほうに動いた。ロドニーは当然怪しく思った、誰かが犠牲になっている。「疲れたような顔をしてるよ」彼はエドワードはそっちのけにして、一、二歩彼女の後を追った。

「大丈夫よ――じゃあエドワード、六時半に自動車ね？」

「彼女はたしかに疲れて見える」エドワードが慌てて言った。そして彼女が部屋を出て行くと座りこみ、その疲労の度合いを考えて圧倒され、彼女のために自分にできるのはこれだとばかり、少し緊張を解いた。彼はしかし叫び声を上げたか、あるいは、また叫ぶかもしれないような感じがした。じつのところ叫ぶことは――彼はくつろいで座っているときに思った――事を一種単純にしただろうと。彼と彼女の関係という新たな問題を考えるより、ましなことだ。いまきちんと活字になり、議事録の中の一項のように、確実に彼の注意を引いている。その問題は耐えられない単純さでたたずんでいた。現在、みんながここにいた。時間は四時で、義理の弟に言うことはもうないように思われた。ロドニーがこうして室内にいるのはエドワードがいるからで、おりしも、途方もない時刻だった――これとエドワードの黒っぽいスーツが安息日《サバス》のように異例であり、双方にとってもありがたくない完全停止になった。当然ながら、何一つ議論できなくなった。ロドニーは、足を組み直して、固い姿勢で、隙がなかった。受け身になり、彼は強く示唆していた、何事もいきなり起きない、何も残念でない、何かが起きたなんてあり得ないと。彼は客たちについてエドワードにやんわりと文句を言った。たいしたことではないが、レディ・エルフリーダが人が読む前に『タイムズ』から記事をいくつも切り抜いている――エドワードが困ったのか？　そしてシオドラは一時半にピアノを弾いていた。

「ランチの時間に？」エドワードがバカみたいに言った。

「いや、夜の一時半だ。海外の暮らしが多いからじゃないかな。ピアノは僕らの部屋の真下にあってね」

「床を踏み鳴らして下に知らせたらいいじゃないか？」

「ああ、床をしっかり踏み鳴らしてるさ。だけど彼女はどうしても憎めなくてね」

「僕には無理だな」エドワードが言った。

「もちろん彼女には時間の感覚がないんだね。――ねえ、君はどうしてもこの列車で行かないといけないのかい？」

「七時五分のこと？　ああ――どうもありがとう、ロドニー――、そうなんだ、ローレルが待ってる」

これでハッキリしたとエドワードは思った、ジャネットはエドワードのことを幼稚だと思っている。愛すべき敵だと思っている、彼は彼女自身を愛したことがないからだ。憤りの有る無しはともかく、彼らが会話したときのジャネットの口調には信念があった。これはさておき、彼は帰りの暑い旅を予想し、百マイルかそこら離れた所から、ローレルを予想した。彼らは空間的にこれほど離れたことがなかった。近くにいることが彼らの支えだった。地震のあとの壁のように、彼らはいま以上に倒れられなかった、互いにぶつかって倒れていたからだ。

だが、絶対に離れない必要を別にすれば、ローレルは爽快だった。平和時に失敗するとか、信頼関係が壊れたりしても、彼女にかかるとそれがすべてちょっとした茶番劇になった。彼女は平衡状態を軽蔑していたが、彼女の思考にある野性味が彼女の態度の礼儀正しさの裏にあって、彼らの破局を防いでいるようだった。彼女は誇張することで、すべてを無害な明るみに引き出すことができた。説明が偏っていないとき、彼女は言った、「あなたはジャネットと結婚しなければいけない」と。模造品の真珠のネックレスをつけたといって彼が彼女を非難したら、民間の企業に入らないことで彼女は彼を非難し、愛が相互的でないなら愛人を持って欲しいと彼に言い、彼女がアナをたしなめるべきだったのに、アナと口論して怒鳴った、「こんな無茶な子供を誰が持てるのか、見当もつかない！」と。ローレルはエドワードを朝の三時に起こして、自分の髪の毛が薄くなっていないかを確かめてもらった。彼らは手をつないで眠り、たわ言の遅れを彼の子供時代にさかのぼって取り戻し、何しなかった。いまなお彼女は、彼の母親の不貞を子供たちの手前、どうしても許そうとしなかった。彼らは手をつないで眠り、たわ言の遅れを彼の子供時代にさかのぼって取り戻し、何度も泣いたりぐずったりしながらも、強情な顔を決して捨てなかった。もし平静でなくても彼女は陽気で、エドワードの中に自分の慰めの泉を見出すのだと打ち明けた。彼女の配慮は彼が苦しむ前に効力をおよぼして、感性を育てた。「それで人生はつまり」エドワードは思った、お茶が近づき、シルバーのトレーの上で陶器が踊るのを聞きながら、「魅力が問題なんだ、愛欲が問題じゃなくて」と。

「やっと来たな！」ロドニーは晴れて言った。車が敷地内の車道をターンして、ブナの木々を通ってくるのが聞こえた。「彼らが喜んでくれたらいいが……」

だがエドワードは、電話中なのに、飛び出てきて言った、今度は僕が行こうと。ロドニーが彼を引きとめるべきだったのかな？　エドワードはもう去って、車道に出ていた。彼らを迎えに行ったに違いない。ロドニーはダマスク織りみたいな明暗の縞模様になった芝生を眺めた。明日は電動芝刈り機のために使用人が一人必要になるだろう――人生を上品に保つには、たいへんな負担を強いられる。ロドニーは溜息をついた。ほら、またエドワードがあそこに。できることをやっただけだ。

しかしレディ・エルフリーダと子供たちは、期待にあふれて手を振りながら、エドワードが、カメラから逃げる野生動物みたいに、木々を抜けてくるのを見た。木影の網目にもう一つ影があった。

「あら、いやだ」アナが言った。「お父さまは私たちがお客さんだと思ってるんだ」

レディ・エルフリーダは、車道で車が最後のターンをすると、心配そうに屋敷を見上げた。ショックだったのだろうか？　彼女は気を引き締めて突進して、ジャネットとロドニーを難破した慣習から解放した。「大丈夫」彼女はコンシダインに言った。虚偽は機械的に出た。彼女は化粧パフを取り出すと、小さな手鏡に映る範囲内で顔をあちこちに向けた。「子供たちを出しちゃいましょう」彼女はさらに言った。「ほら、ハーマイオニが来た」

コンシダインの甥の娘は走ってきた、警告する気迫に満ちて。「お母さまがこれを村まで持っていきなさいって」と彼女は叫んで、車の踏板を持ち上げて見せた。それからレディ・エルフリーダに言った。「お願いします、お父さまが来るって言ってるの。ミスタ・ギブソンが電話に出てるの！」コンシダインはすぐ車を止めてみんなを外に出してから、その辺を回って、出て行った。一行は道中バラバラになり、急場をしのいだ。暗い玄関ホールでレディ・エルフリーダは手袋をぬいで電話した。しかし彼女の前にシオドラがいた。

「何かご用でも?」彼女はずっとそう言っていた。

「ああ、君か、シオドラだね?」ルイスはがっくりして言った。

「残念だけど、ジャネットとは話せないわよ」

「だけど、エドワードが君と一緒だと僕は聞いてるんだ。できたら——」

「あまり話せないの」とシオドラ。「でも質問だったらしていいわよ、イエスとかノーとか私が言うから」

「でも、いいかい、できたらエドワードと話せないかな」

「——無理だと思う——」

「いいかい、長距離電話なんだ。彼を捜してきてくれたらありがたいが」

シオドラは用心深くホールを見回した。「想像できるでしょ」彼女が言った。「ここがどんなにたいへんか……」

「でも僕の感じでは——」

「それが何か? あなたが誰かと話そうなんて、無駄だと思うわ、ルイス。電話が聞きとりにくくて。私もほとんど聞こえない」

「でもダメなら——」

「怒鳴らないでよ、ルイス。そんなに興奮しないで。ルイスにはいったい何が問題なのか、私にはわからないんです」彼女はレディ・エルフリーダにそう言ったが、レディ・エルフリーダはいつになく決められない様子で、暗い姿見に映る自分の向かい側に立っていた——顔が船を進水させたのか?

「彼は何を要求してるの、シオドラ？」

「彼はそれが言えないらしい」

「役立たずね」レディ・エルフリーダはそう言って、受話器を取り上げた。ルイスが無限の空間から、「でも僕の感じでは、想像がつくんだ――」と話し続けているのを聞き、割って入った、「マイ・ディア・ルイス、何を言ってるの、無駄ですよ。私たち誰もできないの」そして電話を切った。家の中に、階段の上までも、閉じこめられた危機のおかしな繰り返しが続いた。アナとハーマイオニが言い争っているのが聞こえた。そこにジャネットの声がした。「もう、静かにしてよ、静かに！」そしてスウィングドアから入って来た彼女は、子供たちのコートを腕に抱えていた。荷造りの途中だった。

「誰かエドワードを見なかった？」彼女はすぐ言った。「もうすぐお茶だから」エルフリーダは私が彼を見つけるわと言って出て行った。

「ダーリン……？」シオドラがジャネットに言った。

「なあに？」

「あまり喜んでいないみたい」

友達らしくない我慢を見せて、ジャネットはシオドラをやり過ごして階段に向かった。

「ジャネット、私を見てよ！」

「お願い、シオドラ……。子供たちをまとめて荷造りしてるところなの」

「ああ、もう、どうして私を見ないの？」

「たっぷり見てるでしょ」ジャネットは辟易して言った。

「通しませんからね！」シオドラは我が意を得たりとばかりに叫び、手を広げて階段をブロックした。「きっと誤解があるのよ。どこかで話せないかしら？」

「もうお茶が来るわ」

「いつだって、お茶は来るのよ。あなたが相手だと、気持ちがすごく荒れて――」

「そのようね」ジャネットが言った。そしてドアに戻り、裏の階段を上がっていった。親切にしてほしかった――誰の親切でも良かった。声を上げずに泣きながら、アナの手袋を落としてしまい、手探りで探す始末。誰かがドアから入って来て、言っている。「どなたかお願い――」ジャネットはドキッとしてつまずき、急いで階段を上がりながら、壁に触れて肩についた石灰塗料を振り払った。「私はどんな我慢でもできる――」彼女はそう思いながら、ドアを開けた。

その間、「お茶よ、エドワード、お茶ですよ！」レディ・エルフリーダがそう呼んで、芝生を彼のいるほうに横切っていった。エドワードは一瞬立ち止まって目を凝らし、母に会うべくまぶしい中に出てきた。その暗い姿は進んでいるのに木々が邪魔になってよく見えなかったが、彼の引きつったような微笑が上のほうに見えた。彼女は彼の背の高さをきちんとおさえたこともなかった。

「どうして逃げたの？」彼女は短く訊いた。

「相手があまりに多すぎて」彼は警戒をすっかり解いて言った。

「あら、そうなの、私たち、みんなでここに滞在しているから」――彼女は内心、「みんな悪者だ」と思った。二人は顔を合わせ、微笑み――キスは滅多にしなかったから――一緒に屋敷に戻っていった。物怖じしない頑丈な門構えが彼らを睨みつけ、彼らのほうから目をそらせた――屋敷はコンシダインの所有のままであった。エドワードは直感した、結局のところ母親は問わないだろう、

「いったいどうしたの？」とは。何かで彼女のマナーに遅れが見えた、彼女が遅らせたのではない。だが、彼はすぐ防御を固め、このどうしようもない午後の最後を飾った。「僕は話し合えませんよ――」

「どうしたの？」彼女は話をずらして訊いた。

「事を難しくする気はないんだが――」

「でもねえ、マイ・ディア」彼女は声を上げ、得意の笑顔を浮かべた。「あなたはそれについておよそ奇抜な方法でやるのね！」

「何について？」

「議論はやめましょう――あまりにもみじめだわ！」

「そうかな？」彼が言い、彼らは立ち止まった。

「当然でしょ――現状を見てよ！」だが彼女のとっさの仕種も一瞬のことだった。混乱状態。彼女はすべてを見てとり、一瞬間だけ悩むように見えた、ひとりで。「言わせてもらうけど」彼女がさらに言った。「子供たちにはむずかしいのではないかしら」

「いずれ必ず去るのだから。ここに住むわけじゃないんです。あなたが言いたいのは」彼が言った。

「ジャネットにとってむずかしいということでしょ」

「ええ、あなたは始終、エドワード、ひどくむずかしいわよ」

「母さんは彼女がそう考えてると思う？」

「そんなことわからないわ。どうして私に訊くのよ？ 彼女はそんなこと考えていないかもしれないわ」と彼女は叫んだ、自分と自分の性である女性というものに腹が立った。含むところは、「無関心になるほかにできることは何もない」だった。彼女は手を彼の腕に通し、屋敷のほうに動きはじめた。そして彼の腕にもたれてゆっくり歩き、やや足を引きずっていた。言いたいのは、「いつもこういうのがいいのよ、いつも変わらず」だった。そこにはこれ以上幸せに表現できない優しさがあった。あるいはまた、ローレルの道化芝居に似せて、高齢をエサに、将来を茶化し、ほのめかして曰く、「これが私たちの理想の在り方だ」と、そして不可能を練習すること。土手がけわしくなっていた。「引っ張ってよ、エドワード」

「いますぐ入らないといけないのかな?」

「ええ、そうよ。お茶が待ってるの」

ロドニーはティルニー家が坂を上ってくるのを見て、思った。「もう大丈夫だといいが」しかし、レディ・エルフリーダは疲れて見えた。ロドニーは、初めてコンシダインを有罪として告発した。

8

　コンシダインは天候の変化を予告していた。駅から空っぽの車が戻ってくる頃、みんなが晩餐の席についていたとき――人数が大幅に減っていて、エドワードは昨日のこの時間には数に入っていなかったし、子供たちはこの時間彼らと一緒にいることは絶対になかった――コンシダインは上空に薄い膜が出てきたのを指さして喜んでいた。その日はたっぷり一時間は短くなるだろう。木々は手に触れるくらいの寒気を放ち、景色は磨かれて、一日の残照、のみならず、一週間の、一つの季節の、すでに終わった一世紀の残照を受けとめていた。ロドニーは、そろそろ雨でもいいな、と言い、それに対してレディ・エルフリーダはおとなしく同意した。

　一行全員は、ディナーの間じゅう黙りこくっていたシオドラのせいで面目丸つぶれになった、コンシダインは彼特有のじれったいドライな無垢そのままに、感想をのべた、これはたしかに突然だったね？　もうもうたる埃だったね？　と。あとで彼とシオドラはビリアードをしに行った。ジャネットは客間の暖炉に火を入れていて、ロドニーは、はっきり言えば暖炉に火が欲しくないので、図書室に座っていた。一行はたしかにバラバラに壊れていた。

　客間ではエルフリーダがゴールドのショールを肩に巻き付けながら、ありがたそうに両手と体をピンク色をした義務不履行の夏の暖炉に近づけた。

「寒いんですか？」ジャネットは言ったが、いま彼女らは二人きりだった。

「いまにもっと寒くなるわよ」

「もう震えていらっしゃるわ」

　死ぬべき運命。小さい秋。「エドワードよ、ええ」彼の母が言った、それだけだった。

　ジャネットは客間を見回した。二人きりでなければいいのに、と思わないでもなかった。彼女は十年前のあの午後を思い出していた、トレヴァー・スクウェアで、レディ・エルフリーダがロドニーの指輪をしている手をいぶかしげに摘《つ》まみ上げていた――その指輪をいまなおジャネットがしている。時を越えたダイアモンド。

「みんな、もうすぐ着くわ」ジャネットは時計を見上げて言った。「一日のうちで一番いい列車よ」

「彼にはもったいないことだわ」

　深い椅子にいてもジャネットは背中をまっすぐにして、手を組んだ腕の上に広げ、いつ呼び出されてもいいと思っているようだった。エルフリーダは暖炉の火を見つめていても、その目がじっと観察しているのをジャネットは感づいていた。一種の暴力行為だ。彼女は言葉を探して慌てて言った。「ルイスが電話してきたそうですね？」

「ええ、そうなの、気の毒なルイス。誰も彼には話させないようね」

「また電話してくるのでは？」

「——マイ・ディア、あなたが私にそうさせたのよ、あなたにトラブルをたくさん押し付けたわ」

「それほど恐ろしいことでもありません」

「そうなの？　これは大失態よ」

　エルフリーダの「これは」は、指輪だらけの彼女の長い指でとても小さな核にかたどられた、いわば、意図した行動、または、痛みの核であったが、わかりやすく思えたので、ジャネットはどこまで振り返るべきか、計りかねた。無感覚に従順に、彼女は追想に身をゆだねた。初めてエドワードを見た時を振り返り、彼女には偽りの夜明けだったこと、そして、半分は雨の中の彼の結婚式のことを振り返った。そして彼のその先に目を注ぎ、枝分かれした罪を凝視した、それは、窓のステンドグラスにある運命の林檎の木のように、その木陰の両側に一人ずつ男と女がいた。*1コンシダインとエルフリーダは、ひとえに構図の関係から一対になっていた。そして彼女の乱れた思いの中で、彩色されたこの一本の木は、連想でつながり、もう一本の木、エッサイの木に、*2変わっていた。その芽生えは——あなたが思うような、痛みが伴わないどこかにではなく——人間の側から芽生え、上へ伸びて開花して顔を持ち、似ている顔に戸惑い、頂きまたは最高部あるいは最後の開花にいたり、みながそれを見上げる、それがジャネットが見た景色だった。もしその木を切り倒し、あるいは、致命的な切込みを入れたら、その重荷に耐えられないエルフリーダがいま切望しているように（というのも、もし彼女の心が根っこだったら、それが引き抜かれた、もし傷が彼女の傷だったら、さぞ痛かっただろう）、一切合切が大枝から落ちて散らばり、七月の林檎のように芯だけはまだ緑色だが、お互いにもはや役割は完全になくなり、見知らぬ他人ばかりになる。

「あなたに代わって話すなんて、私にはできません」ジャネットが言った。「恐ろしいに決まってますから。だけど、私たちみんな何も変えられないのよ。私たち、そうやって育ってきたんだから」

エルフリーダは臆面もなく言った。「もちろん私はいつも破滅しているの。誰にも負けないくらい。でも私がエドワードに何をしたか、見てちょうだい、私がいかに彼を怖がらせたかも。彼は誰にもフィットしないの、可愛いローレル以外の人とは――」

「ひどいことをおっしゃるわね」ジャネットは突然言った。

「子供たちのお茶《ナーサリー・ティー》よ」エルフリーダがジャネットに代わって言ったが、むき出しで苦々しく、彼女の「あり得ない」マナーを思わせた。だが、ロイヤル・アヴェニューのミニチュア版の幸福を思って彼女は態度を和らげ、深く悔いて手を彼女にさし出すと、ジャネットは理解はしても、当てにされるつもりはなかった。

ジャネットは差し出された手の意図に感づいていたが、もしエルフリーダが、一種の聖なる失格として、ジャネットの愚かさに憧れていなかったら、彼女はジャネットを軽蔑していたに違いないと見ていた。だから、エルフリーダは十分に苛立っていた。なぜなら彼女は行き過ぎており、彼女は今日あからさまになった気まずさを手掛かりにして、何かを引き起こしたかった。ジャネットがエドワードの腕に抱かれているのを見たかったのかもしれない――環境と同時に自然がさらに高度な圧倒的な秩序破壊要素として彼女に愛情を感知させ、礼儀作法とすっぱり縁が切れてもいいと思った。ロドニーとローレルと間違って生まれた子供たちと、経済状態、社会的な地位、二つの大家族、これらは明らかにエルフリーダの期待に添うものではなかった。彼女のほうとしては、そうした付着物はとっくの昔に萎《しお》れていて、たくさんの切り傷をあとに残した。彼女は、もしかしたら、今日の危機に遭遇するために、深いとしても曖昧な自分自身についてじっくりと考えてきたのだ、どこにいても人に仕え、慰め、受け入れ、可能なかぎりの麻痺や喪失にさいして、彼女自身の不寛容な明快さを脱ぎすてようと。しかしながら、彼女はいかなる形の説明であれ拒絶された。ジャネットの愛情に応えることは彼女が情熱をもって継続することとなった。「問題なのは」ジャネットは思った。「私は考えられないし、エルフリーダは考えないだろうということだ」と。

「あなた、話したんだって、ジャネット？　シオドラが言ってたわ、あなたとエドワードは図書室で長い間話していたって」

「エドワードに言ったのよ、彼は子供たちのことでは愚かだって」

「子供たちのこと？――ナンセンスよ、ジャネット、彼は言うまでもなくあなたを愛しているわ」

ジャネットはひと息ついてから言った。「あなたが理由だったのよ、私がロドニーと結婚したのは」

レディ・エルフリーダは呆気にとられてこれを受けた。大袈裟に驚いて見せ、それでもまだ足りなかった。両手を上げて暖炉の火を遮り、背中をそらせて背後の部屋を見回し、キャビネットやカーテンなどを見て、目撃者になってもらった。それから無言でジャネットに向かい、新たな好奇心の広がりを暗示した。その凝視は相手が瞼を伏せるまで続いた。

「ああ、ではあなたはずっと知っていたのね、初めから、コンシダインのことは？」

「ええ、そうよ。一度聞いたことがあって。忘れるはずがないでしょ？　マーガレットのところに泊まりに行ったとき思ったの、『ここは彼が住んでいる場所の近くだわ』と。彼の名前は私には州《カウンティ》の名前だった――そのくらい大きく書かれていたわ――もちろん私はここに来たかったのよ。

父と母が憶えていないなんて、とんでもないと思った。でももちろん私たちはあなたのことを話し合ったことなどないわ」

「――エドワードについて唯一残念なのは、きっと私だったのね――」

「違うわ、父と母は気分がいいときは話したりしないの。彼らが訊くはずないでしょ？　彼らはエドワードの落ち度じゃないのを知っているから。でも私は内心考えたのよ、『彼らはどうして彼の名前を憶えられないのか』と。そしてバッツ――あれはイギリス全体かと思った。でも父と母は私にマーガレットの所に行くようにと。変化が起きたのよ、ええ」

「そうね、あなたにはよかったわね」

「私たちがあの午後、バッツにテニスをしに来た時、私はほとんど話せなくて。でも雨が降っていたの、ええ。マーガレットは私をバカだと思って、きっとバカだったのよ。コンシダインはどちらかと言うとひどいホストだったわ、あの午後は。私たちはもちろん彼の好みじゃなくて」

「どう思った……？」

「私は――彼は思ったより小柄だったかな」

「そうね、彼は私の記憶より小柄だわ」

「彼はちょっと……目立たなかった。ロドニーはどちらかと言うと、もっと――」

「で、あなたは二人と結婚したのね」

「私にはたいしたことに見えたの――私は人とつながりたかった。あなたには奇妙なことに見えるでしょうね――奇妙だったのが私にもわかる」ジャネットは落ち着いた口調で断定した。

「で、あなたはロドニーを取って――」彼女の友達はその角度から状況を再び調べてみた。そして

「むろん」と言い足した。「あなたのような冷たくない女がそうやって静かなのは私には異常なことだわ」

ト？」

「私が何を望んでいるかが問題だったの――あなたは一度も静かにしていられなかったの？」

「私たち、情熱《パッション》の話はしないのよ」エルフリーダは苛々して言い返した。「これは――決意だったの。おそらくそれがあなたがただ一つ持っている情熱《パッション》なんだわ――あなたは陰険なの、ジャネッ
「わからないわ、そうなの？」

「エドワードの情熱をあなたは本当に忘れたの？――気がつかなかったの……？」

「彼が私に気づくと思ってた」

「そうだったの？　どうかしら、人って――忘れちゃった」

「どうかしら――私がもし思ったら――彼をきっと怒らせるのがわかっていたの。私たちは、あとですっかり気分がよくなると思ったわ。続くだろうとは思わなかった。わかるでしょ、私には経験がないし、私の外側には何もないの」

「みんな思っていたのよ――哀れな魅せられたる愛しき者たちよ――、あなたはたんなるつむじまがりだって」

「知ってる。でも私の考えは（最初の頃は）、『ここが私の場所だ』だったの。わかるでしょ、エドワードのことで私と食い違ってしまったことがとても難しくて――理屈に合わなくて。理解できなくなったの。途方にくれたわ。手首が折れて、することがなくなったみたいで、いつも両手を使ってとても忙しかったのに。困り果てたわ、することがわからないで舞台に上がったみたいだった。

一度、演技するときに小さな役を与えられたのよ、それが、ところがそれがとても小さな役で、いくら私にでも小さすぎて台無しになると。誰も役の説明をしてくれなくて、私は立ったまま台詞もなく、手でずることもなかった。私の言うことがわかる、エルフリーダ？　そういう風だったの——あなたの身には一度も起きなかったことでしょうね——だから、ロドニーが来たときは、何か指示が与えられたみたいで。彼はとても親切だったの。私は正しかったと確信したわ——あなたもでしょ、あの時は？」

「——いいえ、私がたしかに感じたのは、幸せだったということ。それに反論するのは無理よ、そのあとですら」

「私は自然なことはできると思っていました。一度も考えなかったわ、ええ、エドワードに反対されるなんて。私たち、みんな若かったし、私は若いとは感じなかったけど、成長しなければならないことはわかっていて、成長することにはある種の強さがあるに違いないと思っていました。ちょうど一本の若木みたいに、色々なものを押しのけて、敷石ですら押しのけて、外に出て、育つのだと。怖がったり怒ったりするのは、石がすることだと。石にも自分の人生があり、成長もするし、絞め殺したり——」

「あなたは絶対に考えないと私は思っていたの！」

「これがいまの私の見方かしら、あの頃の私がしたことは、しなければならないことだった。何か理由があったはずでした。あなたは絶望すると、エルフリーダ——」

「いまになって、あなたは自分がどのくらい間違っていたと思う？」

「そうね、私はあまり振り返ったことがないから」

「あなたは、必ずしも良くないと思う。だけど、あなたはある程度不利な立場にいたわね」

「いつもそう感じていました」ジャネットが言った。

エルフリーダは、明るい金属的な感じがするショールを慌てた様子で掻き合わせた。そして、つながっていいたいというジャネットの不思議な願望を再考してみた。「ジャネットは――怖い人だ」と彼女は思った。「わかるわ、エドワードが何を――」彼女自身は、彼女が愛したように愛されていた。消滅するために、彼女はこの黒い力を使ったことはなかった。

「それが何か、わかるでしょ」エルフリーダが言った。「エドワードは私たちより先に始めたのよ――五歳の時から、その時から私は――いつも彼に何かを借りていたわ。誰一人彼を叱れなかった。私としても、もちろん、私は誰も叱れなかった。その時点から、私は支配できなくなって、召使ですら解雇できなかったの。道理が立つ側にいられなくて――あえて言うけどそれが唯一あり得た破滅だったわ、女であるしかなかったら。あなたには何のことだかわからないでしょ、ジャネット。例えば、私が最初パリにいたとき、私のお金が――信用売りが止まってね、二、三日の間だった。手違いがあったのよ。お店で何も注文できなくて――あなたにはわからないわね。食事で座って、考えたものよ、『駄目なんだ』と。まさに金欠だったわ。私は何らかの道義的な特権がないときはなかったから。そして私が――見捨てられたあと、しばらくの間、小切手にサインするのが嫌だったわ。わかるでしょ、私は本家のティルニーじゃないから。一年以上かけて借金を抜け出し、手紙に返事を書き、誰に対しても迷惑な友達なのだと感じたものよ。私のドレスを着ているコックを見かけても、何も言わなかった。誰かが足を踏んで、謝ってくれたときは、ありがたかった。人目を避けるって、ジャネット、もちろんその頃の私は虚栄心でいっぱいだったから――容色が衰えたみたいだった」

ジャネットは思った。「もうやめて欲しい――」と。そして叫んだ。「もう暗いのね！」

「もう真夜中じゃないかしら――違った、ほら、あと十五分で十時だわ。彼らはまだビリアードルームにいると思う？　彼はきっとシオドラをやっつけてるわ」

「そこまでする？」ジャネットは曖昧に言った。

「コンシダインなら、当然よ」エルフリーダは暗がりの中で鋭く言った。「ねえ、シオドラがそんなにいやらしい手紙を書いたって、本当なの？」

「誰がそんなこと？――」

「本人が言ってたわ。彼女が言うには、あれが問題に決まってると思うって。彼女、まったく変わってるわ、可哀そうに。ダーク・ホースね。だけど、まるっきりダークでもないのよ、斑点がある。でも、そうなの、コンシダインはどんなゲームも苦手だから、十分相手になれないの、飽きてしまうの。私はビリアードでいつも彼をやっつけてる。彼は鼻歌を歌って、キューに白墨《チョーク》を塗ってるだけ。あの頃は――一時的だったけど――時計が打つと私は三時に起きたものよ、ランデブーだったのよ。私は寝ていたかったけど、とにかく、いつもそうだった――彼が私の頭の中で何度も何度も愚かしいことをするのを見つめたわ、暗闇の中で。人の頭の中ではね、でも、ほかの場所でもそういうことは絶対にやめなかった、どこかで、始終続いていたわ。人の目に何か関係があるのね。どれも小さなことなのに、決してうまく行かないの。キューにはチョークが塗られ、煙草が巻かれ、ラジオから国家『ゴッド・セイヴ・ザ・キング』が流れてくると、左手を右手の甲にのせるのよ。あるいは辻馬車《ハンサム》をじっと見つめて止《と》めてしまうの。それから彼は御者に半クラウンやって、言ったの。『いや、歩くよ』と。いたずらね、そういうやり方は、わかるわね、最初はこっちの気がおかしくなるわ。彼らは何かをピンと張るの。『完璧』というわけ。そういうのはもっとも貴重な怒りで、やがて怒りが根をおろす。そして微笑む彼らを思うの、暗闇の中で安心して微笑むことができる。それが人が自ら残したすべて、人はその喜びを共用しない。そのときいきなり——毎夜——何かが動く、すべて快楽。『君に会ったことはない。二度と会うつもりはない！』戻るためには、もう一度すっかり思い出さないといけないの、レッスンみたいに。または、あなたが一度言われたことがある何かのように——。暗闇は毎晩変えられて、暗闇に留まるものは何一つないわ。これこそお恵みね、ジャネット！」

「私はそういう風に微笑んだことがないわ——私にはできなかった」

「できなかった？　じゃあ最後に寝返りを打って、枕の上の睫毛の音を聴くと、枕の中で何かがハミングしているでしょ、そして思うの、『私はまだここにいる』と。次の朝、起きたら、もう潮は引いていて、涙を流してもいいの。それから手紙が一通——私、すごくしゃべり過ぎたわね、ジャネット！」

「私はおそらくよくわかってないわ——あら、あれは何なの？」

「どこ？」エルフリーダはびっくりして叫んだ。

「聴いて！」

「ハーマイオニ……」

その叫びに、どんな叫びにもジャネットは警戒していた。すぐドアのほうに行き、黒いドレスの影が続いた。エルフリーダはため息が出た。ジャネットが愛情からさえ距離のあることが彼女を謎めいた存在にしていたが、実は彼女は謎めいているどころか、ただの平凡な女だった。彼女の固い守りを引きはがすと、彼女はすんなりと自分を出すが、すぐに実体は消える。いま彼女は出て行って、幼い少女が怖がる夜を慰めている。レディ・エルフリーダは神経が苛立つ人生を過ごしたことはなく、彼女の神経が彼女の心臓だった。彼女は孤独に怒って、明かりを全部点《つ》けた。「私は老いた」彼女は思った。「私はむさぼりはじめている。人々が離れていくのに耐えられない」安心しようと自分の顔を捜し、化粧を直して、指先で眉をなぞり、仲間を求めてホールに出た。彼らがビリアードルームから出てくるところだった。

　彼女はコンシダインに会った、覚えているより小柄なコンシダインに。

　ジャネットは階段の曲がり角で震えているハーマイオニに出くわした。「怖い夢を見たの。私はどこにもいないという夢だった」

　ジャネットは膝をつき、彼女が首に回しているその冷たい腕を撫でた。「そんなはずないって知ってるでしょ」

「家がヘンな感じがするの。一緒に下にいてもいい？」

「それはダメなの」

「私はすっかり私の頭の中にいるの。グラディスに上に来てもらって、『ともに宿りませ』を歌ってもらってもいい？　ああ、だったらあなたがともにいてくださるわね、お母さま。そのほうがいいな」彼女たちはハーマイオニの部屋に戻った。「私のベッド、いい感じだわ」ハーマイオニが言った。「自分でこのベッドをもっと楽しめないのは、なぜかな。アナのベッドは空っぽに見えないのに！」

「しっかり丸くなって、ヤマネ《ドーマウス》のことを考えなさい。列車の中で寄りかかるものがない気の毒な人のことを考えるの――もう列車が来るわ」

「やたらに遠くて怖いわ。あれが本当に列車だと思う？　もうアナは家に帰っているかな？」

「帰って、もうぐっすり眠っていると思う」

「ああ、しっかりこのまま抱きしめていて、行かないで。私たち、同じ人間だったらいいのに！」

「みんなに来週の金曜日のことを話しましょうよ、子供祭りについて」

「あなたが話して、お母さま、そして私に教えて」

ジャネットは腕を枕に置いて言った。「そう、バンドも来るのよ。それに知ってるでしょ、青いバスが何台もマーケット・キートンの町からやって来るわ。何百人もの人が集まるのよ、ハーマイオニ。あなたに話したわね、いとこのドロレスが装飾品を貸してくれるって？　旗がたくさんあって、ティーテントを二重巻きできるくらいよ。あなたはその朝、お花を持って降りて、ミセス・ロバートソンがティーテーブルを花で飾るのを手伝ってくれるわね」

「内緒だけど、私たちが出すケーキがいつも一番のできよね、そうでしょ？　ミセス・ロバートソンは毎年そう言うわ、でも私はね、『どういたしまして』って言うの。あなたは濃い赤のドレスを着るんでしょ、お母さま？　どのくらい素敵か、あなたも楽しみね？」

「ええ、そうね、きっと素敵よ」

「私は猛烈に素敵だと思う。でも、風があるといいわね、旗が全部なびくように。日本の旗がたくさんあったらいいな、太陽もたっぷり照るから、そしてアメリカの旗もね。イギリスのユニオン・ジャックは退屈だと思うの、そうでしょ、お母さま。――ああ、私のヤギがいたんだ――ああ、来週の金曜日まで寝ていられたらいいのに！」

「すぐ金曜日になるわ」

ジャネットは枕を引っくり返した。ハーマイオニは新しい冷たい枕の面に頬をつけて、もう眠っていた。両腕が緩む。その顔は滑りそうな輝く流れに寄り添っている。そして、彼女が木の葉の下に決して見いだせなかった生きもののようにそっと動いて、上にある明るい平らな葉を揺らして誰かが驚く。彼女はウズラクイナ《コーンクレイク》のように隠れ、カッコウのように遠く離れ、屋根の下で巣作りをするツバメのように寄り添っていた。そして、丈夫な空洞の茎を通って一度出てきて、葉から光を払いのけて囁いた、「もう次の日だ」と。

ほどなくジャネットはこっそりと出て行った。

＊1　エデンの園で禁断の木の実を食べたアダムとイヴを一本の木の両側に配置した図になったステンドグラスをさしている（『創世記』三章）。

＊2　ダビデの父エッサイのこと。『サムエル記・上』十六章および『イザヤ書』十一章一節には「エッサイの株からひとつの芽が萌えいで、その根からひとつの若枝が育ち、その上に主の霊がとどまる」とある。ボウエンがここに挙げている旧約聖書の『創世記』、『サムエル記』、『イザヤ書』は、創造主に命を与えられた人類の祖アダムとイヴに始まるアブラハムの子ダビデの子、イエス・キリストの系図を示している（『マタイによる福音書』第一章その他）。

第三部　水曜日

1

ミセス・サードマンはその日ロンドンにいた、セールだったからだ。ローレルのクラブにローレル自身より少し早く到着した。クラブはロンドンのど真ん中にあった。屋根付き玄関の柱廊が堂々としている。ウィラ・サードマンは、栗色の制服を着た緊張している案内係と控え目な青銅色のグリルを、特権意識をちらつかせて通り過ぎた。その家敷は過去と名前があった。白い石の上に窓の高い階段があり、大枝の影が公爵みたいな幽霊を浮きあがらせていた。アーチが次々と続き、接見室は広大で無表情だった。家具の大洪水がここで阻止されていた。自分がどこにいるのか、見当がつかない。ローレルに文句を言われないようにするために、人は居場所をはっきりさせておかねばならない。ウィラは左右に目をやって、会員たちが沈んで一時停止しているのを見た。彼女は手袋をするすると脱ぎ、またするするとはめた。

さて夫のアレックスはここ何年も、どこかのクラブに入れとウィラにうるさく言っていた。彼女が何かを見逃すかもしれないのが心配だったのだ。彼女は思った、人は何かを見落としていると。ここでは、友達にランチとディナーまで出すのに加えて——ウェイターたちが注文を女性からとるのに慣れていて、少し迷うのを必ず許すこともあり、無難なカレーや簡単な卵料理もあった——彼女は休息ができ、手を洗い、週刊紙に目を通し、買い物包みを届けてもらえた。そして、「私のクラブで会うわ」と言うことができるのだ。クラブによっては、と彼女は聞かされていたが、自分の水彩画の展覧会もできるとか、文化的な要素が多分にあって、いろいろな主題について議論したり、面白い人々が話したり……。娘のシオドラも面白がるのではないかしら。

　ウィラは目下、ささやかなランチパーティを計画していた。ミスタ・ギブソン、アレックス、自分、それから、スイスのヴヴェイにいる親切な妻から聞いている興味深い礼拝堂付きの牧師《チャプレン》を招いて。彼女が今日着いたとき、髪が乱れていたのは、老舗デパートのピーター・ロビンソンで試着をして、ドレスをあれこれ頭からかぶったり脱いだりしたからだ。ローレルがティー・ローズのようなピンクがかった黄色の格好で現われるのはわかっていた。案内係にそう言われて、下に降りてガラスと大理石に囲まれて手を洗った。ふと不安に思い、ここが提供しているサービスはメンバーだけが使えるのかどうか、それがわからなかった。この美しい白い大理石の丸天井、蝶番《ちょうつがい》で千通りもの横顔が映せる三面鏡、サーモンピンクの白粉《おしろい》の入ったボウル、白粉用のコットンパフも、ヘアピン、ブラシもカットグラスのトレーに乗っていた。そこで彼女はお湯の栓を急いで閉めて、冷水の栓をひねって手首に水を流し、清潔そうな婦人が置いていったタオルを使った、新しいタオルを取り上げる代わりに。その間、メンバーの二人が足を振り上げて長椅子に座り、爪をもみ皮で磨き始め、医学的な話を自信ありげに交わし合った。お手入れは……きょうび、試さなかったものは一つもないようだった。もちろん彼女らはウィラがメンバーではないとは知らなかった。しかし彼女が人妻であることは知っていたか？　まばゆい人工的な日光の下で白粉をひとはけはたき、ウィラは帽子とスカーフとハンドバッグを持って逃げだした。それからこそこそと戻ってきて、手袋を取り戻した。

階上でウィラは気分も新たにかしこまってアームチェアに座ったが、ブーゲンビリアと翡翠《ひすい》色のカケスが目に付くその椅子は象の背中のように広大だった――五十あるそういう装飾の椅子の一つだった。これはモダンなクレトン更紗だろう、コテージの部屋には向かないのでは？　スイスにも似合わないだろうと思ったが、南フランスなら見た目にいいかもしれない。バッツには向いているだろう、きっと、だがロドニーは保守的だと言われているし、シオドラが言うには、ジャネットはロドニーに反対できないらしい。カケスはもちろん、オウムが一羽でもいる部屋にはいられないだろう。彼女はオウムを飼いたいという気持ちが想像できなかった。アームチェアの間に、ガラス張りの大きなテーブルがあった。さっきまで雑誌の『タトラー』と『スケッチ』がいとも気前よくその上に出ていたが、メンバーの一人が目を怒らせて入ってくると、全部かっさらって、隅の寝椅子に持っていった。そこで彼女は一度に二冊は見ることはできず、一方をクッションの下に隠し……。これで残ったのは灰皿だけになった。ウィラは煙草は吸わなかった。

「あら」ローレルが叫んだ。「ショックだわ、すごく遅れちゃった！　私、どうしちゃったのかしら！」彼女は涼しい顔で微笑みながら椅子の間をすり抜けてきて腰を下ろすと、たいへんだったのよ、と言い張った。可哀想な大事なウィラは問題なく到着できた？　あなたもたいへんな朝だったんでしょ？

「あなたのクラブはほんとに真ん中にあるのね」ウィラはありがたそうに言った。

「だけど、私の居場所からは、そうでもないのよ——買い物なさった？　色々あったでしょ。こうして会えて、素敵！　何年ぶりかしら——そうだ——母は私より遅れるから。母は我を忘れるのよ、ご存じね。で、ミセス・ボウルズは？——ああ、ウィラ、ミセス・ボウルズは恐ろしいことになって。理解してくださるといいけど」ローレルは熱心に言った。「でも、あなたがもしエルフリーダその人だったら、やはり彼女を避けられなかったでしょう。だって、私たち、母と父が上京して来ると、ミセス・ボウルズを一種の別館として利用していたわ、うちには客間にできる部屋がないから、子供たちや物がいっぱいで。それで大いに楽しくやれるし、ランチの一回分の意味はあるのよ。ディナーに彼女は呼べないの、エドワードがいるから。でもなぜかしら、エルフリーダがジャネットと一緒だと、話は違ってきて、エルフリーダは私に好かれなくてはいけないと感じて、私をランチなどにやたらに誘い、それがとても不自然なの。人生は難しい、わね？」

「ミセス・ボウルズは？」

「それがね、心配なのよ、彼女は私たちと一緒にランチに来るらしいわ」

ローレルはひと息つくと、案内係を手招きして、ウィラのためにブロンクス[*1]を注文した。「ここのはゾッとするのよ」彼女が言った。「熱いの」ウィラは、感動して、ブロンクスなどどうぞおかまいなく、熱いのも、と言った。ローレルは、この場の状況から、シオドラについては訊かないほうがいいと感じた。あれは、先日だったが、奇跡だった、エドワードが死ななかったのは。感嘆の念が繰り返し戻ってきて、彼女は感じやすい愛しいウィラを見やった。彼女とアレックスはいったいいどうやって……？　生まれる前から何かがあったに違いない。もしかしたらウィラは面白くない芝居に行っていたのか。ローレル自身はアナとサイモンが生まれる前は、非常に用心していた。危険は冒《おか》さなかった。彼女はいま切に願った、ウィラとうまくいって、一種の若者連盟が成立したらいいと。彼女はウィラを憎んだだろう、ローレルが彼女のことを「ミセス・ボウルズの味方」ともし思っていたら。ローレルは知らないわけにいかなかった、何らかの組み合わせがあって、例えば、エルフリーダとミセス・ボウルズが問題だとしたら、彼女自身がカントリーに電報を打つとか、その日は寝るなどしただろう。

ミセス・スタダートが現われ、彼女たちと一緒になれて嬉しそうなミセス・ボウルズも一緒だった。ミセス・スタダートはローレルが時間を守ったのに驚いたようだった。「できれば」彼女はウィラに愛想よく言った。「サセックス州がチェルトナムからこんなに遠くないといいわね」みんなはダイニングルームに移動した。「ランチは最低なのよ」ローレルはそう言って、メニューで顔をあおいだ。「お勧めできるものは一つもないと思う。みなさん、メロンは召し上がる？」

日除けのブラインドが道路の明るさと作働中の電気扇風機をさえぎって暗くなっていたが、非常に暑かった。「私はいつもここのフレスコ画に見とれるんです」ミセス・ボウルズはそう言いながら女神たちが輪になっている天井を見上げた。

「たしかに」とミセス・スタダート。「壁に描かれたフレスコ画だけが本物のフレスコですよね？」

「エドワードはお元気？」ウィラが熱意を抑えてローレルに言った。

「ああ、暑さに参っているみたい。アレックスはいかが？」

「ガーデニングよ。彼にはピッタリなの」

「エドワードもガーデニングしたらいいのに」

ミセス・スタダートが訊いた。「シオドラはお元気？」

「ええ、とても、バッツで楽しい一週間だったのね！　みなさんよくしてくれて」ウィラは打ちとけて言った。

「まだ音楽の勉強をしてるの？」ミセス・スタダートは曖昧に尋ねた。シオドラが何をしているかまったく知らなくて、原則として追求しないほうがいいと思った。

「あまり時間がないんです」ウィラは誇らしげに言った。

「本当に興味が持てるお嬢さまだわ」ミセス・ボウルズが口を挟んだ。「私には普通じゃないお子さんのように見えて」

「気の毒に、ウィラは買い物をしていたのよ」

「私はもちろんセールで買い物はしないのよ」ミセス・スタダートが言った。「信用できないでしょ。劇場にでも行こうと思って出てきました。だけど妙なことに、チェルトナムに来たときにもう見てしまったお芝居ばかりで」

「私はいつも思うの、このダイニングルームは豪華そのものだって」ミセス・スタダートはそう言い、一方ローレルはスープを運んできた給仕に手を振って追い払った。「私たち、スープは欲しくないの」と彼女。「そうよね？　食べ物ってゾッとする。もうすぐブルターニュだと思うと、すごく嬉しい」

「ブルターニュですって？」ウィラが叫んだ。

「いえね、じつはこのクラブには飽きあきしているの」

「でも、みなさんでバッツに行くって聞いているけど」ウィラが言った。

「あら、聞いてなかったのね？　結局、子供たちを岩の上で遊べる所に連れて行くことにしたの。エドワードは、いま頃のブルターニュはピクチャレスクにすぎると聞いているけど、私たち、お部屋もその他も借りるつもり」

「まあ、私はてっきりあなたはバッツに行くものとばかり」ウィラはがっかりして言った。「あちらではみなさん待っていると聞いたんだけど」

「いえ、もう待ってないわ」ローレルは楽しそうに言った。「ジャネットはわかってくれる。ハーマイオニも連れて行きましょうと言ったんだけど、彼らはやめたほうがいいと思うと。というわけで、アナとサイモンがフランスの子供たちと遊んだらいいと思って」

「フランス語は大きな利点になるわ、シオドラには」ミセス・ボウルズが恭《うやうや》しく言った。ローレルの目が光り、テーブルを見回し、寸時の間と空間に、もの思わしげに瞼を伏せた。彼女の思いは自らの影を回り、とらえがたく、水のように流れ去った。落ち着いた動きで、ジャネットの幽霊になったローレルは、もう一度メニューを取り上げた。「ヒラメ、もらう？」と彼女は言った。

だがミセス・スタダートは険しい目で彼女を見た。結婚式のあの朝、雨が滴り落ち、アイスは問題だったし、百合の花は届かなくて、彼女はそれをエドワードのせいにした。ローレルのパーティで雨が降ったことは、一度だってなかった。ミセス・スタダートは毒舌の矢を思い出そうと腐心していた、いま矢は高く飛んでいる。だがローレルの輝きが彼女を困らせた。まぶしすぎる電光みたいだった。彼女は、幸せな女は退屈だと思っていたが、何かが彼女たちに忍び寄っている……。たしかに彼らは無謀ではないか、ブルターニュに行くなんて？　バッツのほうがはるかに人間らしかっただろうし、もっと経済的ではなかったか？　「ミルクには気をつけないと」彼女は奥歯に物が挟まったような言い方だった。ミセス・サードマンとミセス・ボウルズにははっきりしていた、何かが起きて、これからも起きるに違いないということが。仲たがい、軋轢？　ロドニーか、エドワードか？　結婚はつねに難しいものだ。

「バッツは楽しいんですってね」ミセス・ボウルズが言った。

「泳げるといいわね、ローレル？」ウィラが言った。

「モン・サン・ミシェルを見逃さないでね」とミセス・ボウルズ。

ここまできて、ローレルは考えた、ミセス・ボウルズと一緒でも悪くない一日となったが、この時点で、母の友達はグラスにまた水を満たし、もう一つロールパンをちぎり、体を前に乗り出して、モン・サン・ミシェルに参詣したときのことを話し始めた。ローレルのマナーはバラバラになった。

「下に降りてもいい？」と言いたい子供みたいにぼんやりとなって、顎はだらりと垂れ、視線が彷徨《さまよ》い、一度か二度帽子の庇《ひさし》を見上げたりした。それでもミセス・ボウルズの話は延々と続き、何年にもわたるその種の話をくり出す糸の猛烈な退屈さに、ローレルの少女時代のノスタルジアが鋭くなった。彼女の十代は——退屈で刺激がない日々に晒《さら》されて、途方もない白日夢だった。人生に色彩を与える家は、彼女の人生の色は取り入れていない。舞踏会用の冷たいドレスが腕を滑る、苛々して針を運んだ夏のドレス、その抒情は色褪せた。ジャネットと母がドレスの身頃に薔薇の花を縫いつけている（今夜、誰もプロポーズしなかったら、それは驚異だ）、ミセス・ボウルズの声が続く。だから木々は居眠りをして（疲れたロンドンのクワイチジク《シカモア》の木が窓を横切っている）、その間、ミセス・ボウルズはしゃべり続け、ローレルのピンク色の木綿糸はピアノの下に転がっている。ローレルは腹ばいにならなければならなかった。ミセス・ボウルズは、訪問にことよせて、しゃべり続けた。ローレルは起き上がった拍子にピアノの鍵盤の下に頭をぶつけ、突然エドワードのことを思った。ミセス・ボウルズの言葉は、古くなって腐った魚が二輪の手押し車から滑り落ちるように、滑り続けた。彼女はエドワードを愛した。甘美なる不確実性がこの声の前のあの瞬間を壊した。彼女は父親の気質を思い返し、父が彼女の話に耳を貸そうとしなかったこと、それは家で声をさらにつのらせても同じ、彼らは何時間もしゃべり続け、噛み合わない問答だった。他愛のないことで憤慨し号泣した。ライラックの花房は静かに、遊歩道の先で楽団が奏でているのが聞こえる。彼女はチェルトナムの永遠の午後を再び生きていた。居住区域の白壁の道路の角に、並木道にずらりと吊るしたランプの下で、節度に欠ける快楽がかつては彼女を驚かせた。そのすべての中の自分の持ち分へ、エドワードとのあまりにも明白な逃げようのない関係から、彼女は喜んで戻っただろう。あちらこちらでドアに隠れるように記憶に隠れて、身に迫る現在の苦悩の嵐を避け――ここ何週間かは、エドワードがバッツから戻って以来、誰にも認められない恐怖の日々だった――彼女は後悔という非現実的な光の中で、自分の背後の土地に影がないのを見た。彼女はさいなまれ、喪失感に打ちのめされた。亀裂はいまも亡霊のように存在したが、彼女は沈思黙考しなかった。未亡人となった娘ではなく未婚の乙女が、コランナ・ロッジで階段の窓から外を眺め、不在だったというおぼろげな感覚をたよりに、つねに変わらず陽気なポプラ並木を見ていた。それでもなお――彼女は知っていた、ミセス・ボウルズがしゃべり続けている間に――誰もそれに耐えられないことを。

「――それで娘たちは、そうしないほうがいいと決めたのよ」ミセス・ボウルズが締めくくった。

「魔法瓶を入れ替えるのは当然不可能だったし、でも、精油ランプはあったから。『トミーのクッカー』と言われているやつよ、とっても実用的なの。膝に置いた書類カバンに隠れてお茶を淹《い》れて、イタリアから列車で戻ってきたのよ。それでも、アンジェラは自責の念があって、戻ってメモを置いてくると言い張って。ミセス・ハミルトンと戻っていった。説明しに戻ったのよ。覚えていてね、ローレル、ブルターニュではお国訛《パトア》りで話すのよ。フランス語とは思えないような。その間、ミルドレッドと私はとても心配だった。駅長にメモを残すつもりだったんだけど、駅長さんがいなかったの。だけど列車がちょうど角を曲がってきたときにアンジェラとミセス・ハミルトンが四輪馬車《フィアクル》でやってきて、勝ち誇ったように手を振ったの。ミセス・ハミルトンが馬車を借りたんだって。それでもプラットフォームは走らなくてはならなくてね。気の毒なミセス・ハミルトン、息が切れて死にそうだった。あれはたいへんな出来事だったと保証するわよ、間違いなく完全に善良な行為だったけど笑ったわ。列車は満員でした。ミセス・ハミルトンはおやつをご自分と私にも買ってきて、古風なのよと言って、それが私たちの初めての旅だったの。少女たちは変わった人が好きでしょ、通路に立つのが好きだったわ。ホテルのバスが頼んだとおりに来ていて、おかげでその日は申し分ない一日だった。またミセス・ハミルトンに会いたいわ。私たちの小さな預言者の部屋がいつもあるのをご存じなの。ローレル、あなたとエドワードは是非お茶に来てね、ブルターニュに行く前に。写真をお見せするわ、そしてアンジェラがエドワードをホテルの近くにお連れできるから。彼女こそパーティの仕掛け人なの」

「ローザンヌに帰ったような気になるわ」ウィラが言って、ため息をついた。遠征は終わった、アレックスのリュックサックは脇にどかされた。彼らは外に「出た」が、もはや「着手する」ことはなかった。「とはいえ」と彼女は思った。「もし私がロンドンのガートルード・スタダートだったら、クロムウェル・ロードの小さなホテルのどれかに滞在するわ。それほど高くないし」

「ミセス・ボウルズ、エドワードはどうしようもないわ、お茶に行くことなどないのよ――」

案内係がテーブルを縫ってやってきた。四人とも不安を感じた。ミセス・ボウルズは、ポンペイから発掘されたように、口元をぬぐいかけたところで固まってしまった。ローレルは花瓶からスウィートピーを一本引き抜いて、翼のような花びらをくるくる回して座っていた。使者は、死のように、近づいて来た。電話がかかってきたのか？　暗い金箔のオリュンポスの神々の天井が穏やかな大空に降りた罠のように閉じ、個人は空間に投げ込まれ、ミセス・ボウルズの影響のもと、彼らは上昇したのか、または溶解したか。彼らの耳にクラブのダイニングルームのざわめきが聞こえた。

「あなたによ、ローレル、きっとそうよ」ミセス・スタダートが言い、彼女は希望と恐怖と期待に襲われて、想像するのも嫌だった……。あるいは、エドワードが習慣でするようにランチタイムに電話してきただけだろうか？

「ミセス・メガットがお電話に」

「ジャネットが？」

「彼女はロンドンにいるんじゃないの？」

「バッツからかもしれないわ」

「ジャネットらしくないわね――あなたがどこにいるか彼女にどうしてわかるの？」

これって？……もしかして、これって？　三人の女性は互いに目をそらした。彼女たちはローレルがいなくなった場所を見た、椅子が曲がり、スウィートピーが哀れ、彼女の皿に横たわっていた。

「ジャネットがロンドンにいるなんて、思いもしなかったわ」ミセス・スタダートが言った。連絡など滅多にしない、彼女の黒い娘であった。

＊1　ジンにベルモットとオレンジ果汁で作るカクテル。

2

「ジャネット？」

「ローレル？　私、起きたばっかり」

「ああ、よかった——どこにいるの？」ローレルは叫んで、妹の声とともに、棺桶を立てたような電話ボックスに閉じこもった。

「エドワードとランチなの、イオニデスで」

「まあ、素敵！」

「あなたの家に電話したんだけど、あなたがどこにいるかわからないって言われて、だからエドワードに電話したら、あなたがお母さまとウィラにクラブでランチを差し上げているって、だから私と彼でランチをしようと」

「ミセス・ボウルズもここにいるの」

彼女たちはわけもなく笑い、二人で会う日を決めた。ジャネットはエドワードの所に戻るべく、イオニデスのファンの下を横切ったが、エドワードからあまりにも長く離れていたことは明白だった。

コーヒーがもう来ていた。冷めかかっている。何と言ったらいいかしら？　なぜいまになって、ローレルに話す？　この先、彼と彼女はもう二人だけという感じにはなれない。彼の心はもう小さな時を一分ごとに刻む時計ではない、レストランのざわめきが間延びして、室内の照明が薄れて曇り、彼の手に強大な力があるのか、ダマスク織りは帆布みたいにざらざらになった。充電しすぎた時間を刻むうるさい音が、これまでの歳月の皮肉を指していた。……彼女が来るのを見て、エドワードはコーヒーを注いだ。

ジャネットはまた腰を下ろし、目の前のエドワードに微笑んだ。薔薇の花をボタンホールにさらに深く刺し、すすめられた煙草に首を振り、自分のコーヒーを注いだ。彼女は初めて愛らしく見え、限りなく不誠実に見えた。彼はあのことを思い返した——それは、静かな、子供のような自然さで、彼らの共通の思い出の中に鎮座していた——そのとき彼女は、彼女が彼を愛していることを示したのだ。彼は彼女が信頼に足ることを知らなくてはならなかった。

「ローレルだったの？　ずいぶん長かったね」

「みんなでクラブを見て回っていたみたい。あの人たち、間が抜けてると思う」

「彼女は驚いていた？」

「フランスに行く前に私が彼女に会いたがったのを知ってるから」

「それで彼女は——？」

「時間がなくて。一時間後に会うことにしたわ、ロイヤル・アヴェニューで」

「じゃあ、そのあとは君に会えない？」

ジャネットは、考えるのが面倒な人みたいに不精に笑い、同じことを言った。「あなたはバッツに行かないといけないわ。いつか行くのは、わかってるでしょ」

エドワードは何も言わなかった。彼らはかつてない親密な眼差しを交わし、それは同時に、彼としては、燃えるようで悲しいものだった。彼らの面談の自然さは——ランチのときも、出会った時からいまに至るまで、彼らは苦もなく兄であり妹であった——本質的に非常時の感覚を生み、誕生とか死亡といった大事件または存在によって、まさにこの自然さに縮小されていた。かつては、たしかに、一度か二度の致命的な原文改変があり、彼女はたずねたことがあった、「でもなぜあなたは私が怖かったの？」と。彼はのちにこう言った、「でも、いいかい、ジャネット、一つの間違いが人の人生のただ中に入っていくと、もう太刀打ちできなくなる」と。彼は多少なりとも正直に告白していたのだ、愛の恐ろしさについて、その意味合いをさらに探りながら、越えてはならない残酷な不便さ、愛慾《パッション》の不便な残酷さに対する道徳的嫌悪感以上のものについて。そしてその間、彼女は恐るべき穏やかさと深さをたたえて彼を見ていた。彼の精神の敵対者である見すかすような非理解をこめて。

彼女が戻ったいま、彼は彼女の手袋の片方を取り上げ、裏返してみて、さらに何かしようとした。「どうしたの？」彼女はそう言ってから座り、両手を重ねて、もの思いか気が塞ぐのか、それでも陶酔しているようだった。「あなたはあまりにも……いい人だった」彼はついにこう言わねばならなかった。

「あなたに値する以上にいい人だったの、それとも、あなたが望む以上にいい人だったの？」

「望む以上に、かな」彼は言ったが、断腸の思いがにじみ出ていた。

「私にそう感じさせるなんて。失礼だったわ」

「しかしそれはもう去った」と彼は思った――彼女がそこに座り、無意識に、身じろぎ一つない両手と頭の立て方を見て――「これから僕らはどうやって生きていく?」と。というのも、見落としたり混乱したからではなく、全体を熟考した結果、彼が愛さなかったのは、彼女の高潔さであった。そしてもしその全体性という美徳が彼女の振る舞いの中にあるたんなる資質なら、もし好意の中にある彼女の現在の高貴な無垢が彼女の高貴さを否定するなら、光はその場面から即座に消えてしまう。彼は手で探りながら、彼がどこにたどり着くのか、暗闇で触れたのが彼女の手だったのかどうか、それにも無関心になっていた。彼女の無垢そのものが、無防備が、穏やかな暗いまなざしの中にある極限まで接近することが、愛慾《パッション》を現わすために実生活から持ち出した直接性が、誤用されて現に勝ちをしめたことで、衰退を隠すように見え、そのせいで、実りのない秋に垂れこめる苦さが、いま遅咲きの花に出ていた。

「私は自分がいい人だと感じたことがないの」彼女は言い添えた。

姉に対してジャネットは真実を語っていた。今日ここでとったエドワードとのランチは事故のようなもので、前例はなかった。義務感と親切心が彼女をロンドンに連れてきて、慣習が彼の招待を促した。バッツの階段を出たところで、うわのそらの親戚とは別れて、彼らは恋人同士として会った。彼が怒った子供たちを連れてバッツから戻って三週間というもの、エドワードはよく働き、放心状態で、自分とローレルの混乱の餌食になり、ほとんど考えず、自分の中の記憶の作動にも気づかなかった。一種の感情的な飢饉がロイヤル・アヴェニューに腰を据えた。バッツでのまぶしいばかりに明るい午後は、パレットのはじに見本として塗り付けた色のように、また拭い去られた。その一日は、日付とともに、書き殴った短い日記のかすかな痕跡になって残った。ゴシップになるのが嫌なので彼はバッツへ急ぎ、義理の妹と面談し、彼女の側には憤り、彼の側にはヒステリーのようなものを残し、彼の母親に問い詰められ、彼の子供たちを急いで出て行かせた。手の施しようもなく時間がかかった。

その間、言うことは何もなかった。エドワードとジャネットは連絡しなかった。ジャネットとしては、アナのスモックとサイモンのシャツが洗濯屋から家に届いたのと、エドワードがホールに落とした手袋を送り返した。アナはロドニーにありがとうと書き、サイモンはジャネットに書き、そしてローレルは頼まれて、全部含めた感謝状を書き、もしエドワードがいつもの彼らしく見えなかったとしても、一年間彼が働き過ぎたことを私たちは忘れないと書いた。さらに彼女は書いた、エドワードも含めて彼らの親切に感謝していると。彼らは天使でした――ジャネットは知っているかしら、コンシダインが子供たちにアイスをいっぱい買ってくれました。それでハーマイオニは気がすみましたか？――そしてシオドラはまだ彼らと一緒にバッツに？　見当がつかないわ。

「ローレルが心配していないといいけど」ジャネットはそう言って、手紙を回した。

ロドニーはローレルを愛していて、彼はローレルが心配していると思うのは嫌だった。「もちろん彼女は僕らが気にしていると思う必要はないんだ、もし彼女が気にしないなら。それで大丈夫と彼女に伝えて」

「彼らを戸惑わせるかもしれないわね」

「君の言うとおりかもしれないね。でもまあ、彼らも気分がよくなるさ、七月になって二人でここに来れば。エドワードはゴルフコースを作る手伝いをすると思う？　それとも、ハーマイオニは心配なのかな、湖をつぶすのが」

「でもねロドニー、エドワードは疲れ果てるわよ、休養しないと」

「彼は何もすることがないと気持ちが塞ぐかもしれないと思ったんだ」

レディ・エルフリーダは、バッツにはティルニーの者が十分にいて、そのあとすぐにアイルランドへ発つと言った。シオドラがジャネットに叫んだ、「そんなの我慢できない、あなたは冷たい氷柱《つらら》だわ」と。そして、ロドニーの礼儀正しさと、ジャネットの疲労と、「子供祭り」が近いことに憎まれ口をたたき、思い入れたっぷりに、フラットを再開するために出ていった。ここで彼女はルイスの訪問を自由に受け、強烈なドリンクをミックスし、エドワードがついにジャネットに屈したのよ、と彼に話した。ルイスはこれをアイルランドにいるレディ・エルフリーダに報告、エドワードはこのバッツでの出来事で惨めな様子で歩きまわっているとのこと、レディ・エルフリーダは怒ってエドワードのことをジャネットに一筆書き、彼は神経衰弱で落ち込んでいると書いた。ロドニーはジャネットに、その大部分を無視しなさいと言った。コンシダインは海外に出た。

「子供祭り」が終わると、アンチクライマックスが来た。バッツではティルニー家の到着を待ちわびるようになった。ハーマイオニは、アナがほとんど嫌いなことも忘れて、カレンダーの日々をバツ印で消していった。彼女の父は週に二回は海までドライブして、海水浴だと約束した。だからティルニー家がホリデー計画を思い切って変えたというニュースは、狼狽をもって受け止められた。

「彼らはフランスなんか全然好きになれないと思うわ。お母さまはどう思う？　彼らが好きになると思う？」

「さあ、どうかしら」

「ああ、私は嫌いよ、わかってるんだ。古くさいフランスなんか！」

ジャネットはすぐローレルに同意したという返事を書いて、合意できたあとで訪れる大陸は、子供たちには刺激があり、同時にエドワードには安らぎになるにちがいないと書いた。エドワードとローレルは、もちろんのこと、自由がないと感じなくて正解だったのだ。失望が残っただけで、あと腐れはなかった。ロドニーとジャネットは完全に理解した、ロドニーとジャネットは彼らが羨ましいのだ。あの熱い砂……。そしてバッツではすでに滞在客が散り始めていた。デルフィニウムは再び切り取られ、九月にもう一度咲かせるためだった。アナとサイモンのフランス語が上手になるといいわね、そして小切手を送ろうと半分心に決めていた、きれいなコットンドレスを何着か買うようにと。ジャネットにはわかっていた、美しく生きいきとカッコよく、ブルターニュでイギリス人に見えないことがローレルには嬉しいのだろうと。広くて大きなかぶりの深い帽子、砂浜では彼女のそばに疲れて目を閉じて横たわるエドワードがいるだろうが。「彼らにその余裕があればいいけど」ミセス・スタダートの手紙にはそうあった。

手紙にあて名を書きながらジャネットは思っていた、「これが最善だわ」と。しかし切手が箱にもロドニーの所にもないのを知ると、村まで買いにやらねばならず、気持ちが沈んだ。「私はもうエドワードに会うことはない。だがいつの日か――私たちはずっと親戚同士でいられるじゃないか？　前にも言ったが、コンシダインとその他大勢がいる……。エルフリーダに訊いたらよかった」

そこで今日、あれから十日ののち、彼女は手紙を追ってロンドンに出た。ローレルに会うのがその唯一の理由だった。ロドニーは同情的だ。何かが間違ったか、または嘘に見えてしまい、ジャネットとローレルは手紙が書けなくなっていた。彼女らの手紙は奇妙な「作文」だった。苦痛、歯がゆさ、気まずさ、曲解、があった。彼女がローレルと一緒にいた頃は、何についても無意識に微笑み、何についても言うことはなく、たやすく話せたのでほとんど話さなかった。顔を合わせる必要がある。考えるまでもなく、ここには疑惑があった。

ここ何週間か、グロテスクな、ないとは言い切れない人影が、彼女自身とローレルの間に割り込んできていた。それは女で、生まれなかった恥辱の妹、二人の性質を模倣する、彼女ら二人の敵だった。その女のローレルの嘲りに対して、ジャネットのプライドは無力だった。その女はどちらにも似ていて、彼女らが少し別れることにして以来、二人の間にその途方もない横顔をつっこんできた。その横顔は映像のはじにあって、なぜか不気味な馴染みがあった。「ローレルは彼女と私を取り違えないわ、私は彼女をローレルと取り違えないだろうか?」三人がもし会っていたなら、無垢な二人はどうやって三人目を認めたのか? 私たちは彼女については知っていても、彼女を知らない。絶対に表に出ない、罪人でもない、エルフリーダとは別のいろんな世界で、彼女はあらゆる疑惑の餌食、情け容赦ない噂話の種だった。前にローレルが言っていた、「あなた、気づいてる、法廷で読まれるのはいつも同じ女の手紙だってこと?」と。つねに横顔を見せる存在は、姉妹のそれぞれにとって、エジプト風の横顔の効果に欠点があった。ジャネットの側からか、ローレルの側からか――どちらの側からだけでも実際にその女を見たのだろうか、彼女はすぐそばにいて、または面と向かい、すごく恐ろしかった――二つの目が見えると、その目はここではないほかの所をまっすぐ見ていた。

ジャネットは、狭い範囲で思索することと公明正大なことに慣れていたが、この恐ろしい妄想の視線はエドワードに注がれて、漆黒の闇に向いていた。

ような人影は、上りの列車の中で具体的に現われた。ポーターがドアを閉めてジャネットを閉じ込めていた。列車が山中の切通しを通るとき、彼女らは暗闇に共にいた。客車が高原を横切って走り、光の箱になると、その人影は、昼そのものを餌にして、大きくなり、その輪郭の内部にジャネットを取り込み、最終的には彼女がいた片隅を乗っ取った。そのあまりジャネットは、それが彼女のあらゆる防衛本能を動かした。そのあまりローレルは、それを攻撃できなかった。

ジャネットの落胆は形がなかった。「たしかに」と彼女は思った。自分を見ながら――列車が土手の下を通っていたので車窓が鏡になっていた――「私には何もとり憑いていないけど、私は何者なの?」。

「今日ね」――高原が窓外にのし上がってきてまた広々と朝になった――「ローレルと私が一緒にランチをしたら、これはいなくなるかしら? どこか楽しい所でランチを。吹き飛ばされてしまうのでは? どこでランチをしよう? 外に出て、どこか楽しい所でランチを。ローレルも喜ぶだろう。私は彼女に怒りたい。ブルターニュに行くなどという考えは、愚かなことだ。あんなひどい子供たちと一緒なんて、ホリデーどころじゃない。ローレルは誇張によって生きている。静かにしていられないのだ。こう言おうか……彼女にわからせようか……。彼女はもっぱら遊び心で恋に落ちた、十四歳の時に。あの滑稽な写真の数々。ローレルが口にできないことなど、一つもなかった。あるいは、彼女が言うべきことなど、一つもなかったのか? いや、そうではない。彼女はアナが生まれる前は不安だったが、彼女は私に決して話さなかった。だから今日、一緒にランチをしながら……。ああ、もうすぐだ、二時間後に、ランチで……」冷ややかな思い。「彼女が見つかるかしら? 電話を入れるべきだったかしら?」

そのあとはまったく予想外だった、ローレルがロイヤル・アヴェニューから消えてしまうなんて、跡も辿れないとは。彼女は思った。ジャネットは呆然自失の度を越して、衝撃を受けていた。どうしたらいいかわからなかった。「私から逃げたか？」それから無性に腹が立ち、ローレルの気紛れを支配したり抑えたりするのに慣れていたのに珍らしく思い立って、彼女は義兄を電話で呼び出した。ショックでもあり、彼女の性格のこの新たな二重性の中で、繰り返され、二重になって、彼女はエドワードの声を聞いた。彼に対しては一つしか答えがなかった。彼女は、彼に会うためにロンドンに来たのだ。

そこで、イオニデスのドアに入って彼らは出会って微笑み、互いがとっくに知り尽くした合言葉を無言で交わした。不吉なこの数週間、彼の出立以来の沈黙を穏便におさめてから、彼らはテーブルに着いた。彼女が先に座り、好奇心なく彼のほうをちらりと見て、そろそろと手袋をぬぎながら、この無駄な時間を喜んで味わっていた。彼女は安全を浪費する放蕩娘だった。事実、彼女はあまりにも長く待ったので、この時間がいかにきわどくても問題なかった。

彼らが言ったことは、脈絡がなかった。彼の母親の人影が彼らの対話の仕切りを横切る。ジャネットは尋ねた。「どうしてあんなに怒ってたの？」

「わかっているくせに。もういいじゃないか――」

「わかったわ。ねえ、エドワード、十分したら、私たち、もう行かないと。言うことはもうないわね、どう？」

「始めたら切りがないからね」

「かつては何もなくて、いまはあり過ぎる――。私たちには将来がないからなの？　もしかして、なぜ私たちにはどうして将来がないの？」

「もう行こうか」エドワードが言った。

「あなたは心配じゃないのね？」

「ジャネット、君は？」

「もう心配じゃない、もし私がこれから死ぬほかに——。もうないんでしょ？」

「ないって？」

「どんな将来も？」

「ああ、ないさ」

「そうよね」しかし彼女はいつものようにうなだれて、なにげなく手のひらを見た、彼がそこに立っているかのように。

3

マリーズ・ギブソンは、ジャネットがロンドンにいることをすぐに聞いた、ミセス・サードマンがクラブからまっすぐ娘のフラットに向かったからだ。彼女は言った、シオドラがつかまったらいいけど……。シオドラは出かけていて、それはおそらく幸運だった。彼女は電話もしないで入ってくる親戚は嫌いだった。「あらゆることを」彼女はマリーズに言っていた。「考慮するのよ」

二人は「半分ほのめかす」というシステムを構築していた。女性が一緒に住むのは難しいことではなかった——そして、「私たちはまぬがれたわね？」とか「あなたは今日は死んだみたいよ」と言うだけで、直接的なことを言う必要もなかった。

娘の友達は、蓄音機のレコード何枚かと書類と奇妙なスケッチを移動して、ミセス・サードマンに長椅子《ディヴァン》のはじを提供した。すべてがとても低く見え、煙草のケースは暖炉の火格子の奥に手を伸ばした所にあった。ランプは全部実際に床の上に置かれている。しかしこの低さは、ずっと立っているマリーズとシオドラにはありがたかった。しかし驚きを礼儀上隠した気配を漂わせたマリーズは、いとも無頓着に、冷静に堂々として、訪問客にお茶を淹《い》れた。小さなキチネットに彼女は呻《うめ》いていた。

「ここは高くて素敵、風も通るし」ウィラは息を切らして言った。リフトがなかったのだ。フラットは屋根裏部屋にあった。窓は床のレベルまであって、隙間風が足の回りをなぜ、樹木のてっぺんが何本か見えた。

「そうなの、便利よ」マリーズが言った、少し暖まったのか。「中に何でも入るし、ほかにも全部。そういうデザインにしてもらったの、ええ。マントルピースは取り外して、だから埃が立たないの。物がしまえない家って嫌いなのよ、そう要求が通るわけじゃないけど。――心配だわ、これは出してはいけないお茶なのかしら、ミセス・サードマン。だって、私たち、全然口をつけてないんです。召し上がらないの？」

「ええ、きっとおいしいでしょうに」ウィラはそう言って、自分の紅茶カップをつくづく眺めた――その中に紅茶の葉の埃が薄い膜を張っていた。少女は警戒して、本箱で体を支えた。

「ジャネットがどこに泊まっているか知ってる？　だって、シオドラが知りたがるだろうから。彼女はレディ・エルフリーダと一緒にいられないから、彼女はいまアイルランドにいるので。それに物事がいまちょうど難しいときで……あなた、知ってる？」

「ご一緒してくださらないの？」ウィラがティーポットのほうに合図して言った。

「どうもありがとう。でもご遠慮したいの。もしかしたら、ジャネットが来ようと思っているかもしれないでしょ、もし何も決まっていないなら？　彼女は私たちに話す必要はないのよ。実際問題として、私たち二人で今夜出かけるし、午前中には絶対に話さないの。でもお湯がたくさんあるから、彼女はお風呂に入って電話したらいいわ」

「いつも小さなホテルがあるんでしょ、彼女とロドニーが――」

ウィラは感じた、ジャネットはフラットでは家にいるような気がしないのだろう。ニスを塗った彩色仕上げの怖いような拘束施設には、三日月刃《シミター》のような曲線と円盤とそびえるような角度もあった。彼女がジャネットと会うのは、セント・ジェイムズの近くの小さなホテルのほうが多く、そこでは、もし去年の霧がベッドの青銅のノブから完全に拭き取られていなくても、チンツ更紗のカーテンは格式で湿っていても、親切なチェンバーメイドは、お湯は忘れても、ロドニーの祖父のことは憶えていた。

マリーズは、警戒するように少し離れて、ティートレーと長椅子《ディヴァン》でウィラが作る小さなグループをじっと見ていた。「私、聞いたけど」彼女が言った。「エドワードが惨めな様子をしているそうね」

「ローレルの話では、彼は暑さで参っているそうよ」

「でも、すごい遺伝だわね！」

「あら、それはないといいけど！」ウィラは、動揺して、トレーを落としそうになった。「ジャネットは時間に起きないで、クラブでみんなに合流しなかったから、エドワードが彼女にランチを用意したのよ。素敵だわ」

「ほんとに？」マリーズは瞬き一つしないで言った。

「ローレルが言うのよ、エドワードはときどきランチをとる時間がまったく取れないんだって」

「あなた、ローレルには驚いた――？」

「ちょっと、私はまだ美味しいお茶を頂いているんだから！」ウィラが急いで言った。

「心配だわ、あまりにも人を無視するのが。言わせてもらうけど」マリーズが続けた。「エドワードにはやっぱり同情するわ」そして煙草に火を点《つ》けると、あとは陰気に考え込んだ。「聞いた？」彼女が突然言った。「私たち、緑色の陶器のバスを据え付けたのよ？　四角いの。お湯が底から入るの。あなたに見せるわね。生活がすごく変わるわ……。むろん、哀れな可愛いローレルは手広い人だから」

「私はローレル一筋よ」ウィラが熱くなって言った。

「へえ？　きっとあなたは私に似ているんだわ、誰も私を困らせないし、ここ数日……。もう行くの？　悲しいわ」

「もうこれ以上お時間とってはいけないから」

「仕事は嫌いなの」マリーズはそう言いながら、お客と一緒に階段まで行った。「何でもするけど。シオドラが可哀そうだから——うちの電話番号はご存じね？」彼女は優しく言い添えた。

「興味深い生活だ」ウィラはヘアピン階段を降りながら思った。頭の上がまだ冷淡な照明に晒《さら》されているような感じがした。空が明るいせいだろう。興味深い生活、彼女は繰り返した。だが二十六年前、彼女はシオドラを生んだ——どうして？　このためか？　ある考えが頭に残った、このフラットの家具はくもりガラスでできている。この考えが彼女の話の中に行先を見つけ、アレックスをがっかりさせる、根絶しなくては。マリーズのマナーは非の打ちどころがなかった。彼女はこう訊いていた。「お宅のタチアオイ《ホリーホック》はいかが？」だが地面に生えているタチアオイを見たことがないみたいだった。

ウィラは、外に出てバッキンガム・パレス・ロードに入り、西のチェルシーのほうを恋しそうに見て、東のヴィクトリアのほうを気乗りしないで見た。列車まであと一時間がまだ彼女の手のうちにあったが、アナとサイモンが大きくなったのを見に立ち寄るには短すぎ、ゴリンジ街やデパートを見るには長すぎた。諦めた彼女は、その時間はなかったことにして、十一番のバスに乗り、終点まで乗った。結婚した娘がロンドンにいたらいいのに、と思った。義理の姉妹でもいい。そしてセント・ジェイムズ・パークを歩いた。「エドワード・ティルニーは」と彼女は思った。「いま現在、空気をたくさん浴びているようだ……」

しかしのちに、アレックスがそれをからかった。

いずれにしろ、アナとサイモンはロイヤル・アヴェニューの家にはいなかっただろう。彼らの母親が彼らにコックをつけて、それぞれに一シリングずつ持たせて送り出し、ケンジントン・ガーデンのカラフルな傘の下のお茶に行かせていた。

「だけど、映画に行きたかったわ」

「ああ、アナ、この素敵なお天気の日に？」

「映画館の中だと、お天気はいつも同じよ」

ローレルは、ここで、ホールで、泣きたいと思った、メイドのシルヴィアに見られながら（ローレルの人生のいまにいたる何年もの間、シルヴィアが付きまとっているのは、注目すべきことかもしれない。シルヴィアは、なるほど、アナが生まれる少し前に去ったが、パークを横切り、ベイズ・ウォーターでいくつかの仕事に就き、あるレディの家政婦《ハウスキーパー》になり、セールスマンとの間に可愛い男児をもうけ、一年前にローレルの元に戻ってきたのだ。お手当は高騰し、世間体の重要さはさらに増大していた）。三時半になり、訪問客として姿勢を整え、妹のジャネットは階上のローレルを待ち受けていた。夢の中のように、ローレルは客間までたどりつけなかった、ジャネットがそこで待っていたのに。怖かった。シルヴィアが、ホールのドアを開けると、熱い午後がそっと入ってきた。太陽は屋敷の正面から去っていた。これもお恵みだった。

「元気を出して、アナ、みんなでブルターニュに行くのよ」

「ブルターニュなんか行きたくない。私なんか、生まれてこなければよかった」

シルヴィアが二人を外に出して、ドアを閉めたら、ローレルが言った。「私だって生まれたくなかった！」激怒していた。アヴェニューを下ったところで、二人はダラダラして、怒っていて、心が休まらず、四十九番のバスに向かっていた。アナは明るいピンク色のスモック、バッツで着るように与えられたもの、サイモンがパナマ帽をかぶっているのは、コンシダインの真似。シルヴィアは命令されていた、ベッドタイム前に彼らを帰ってこさせてはならないと。では、ミセス・ティルニーは、ディナーに何をするつもりか？「ディナーはなしにしましょう。外で何か食べましょう！」エドワードが激怒するのはいうまでもない。

去年、彼女はもう一人別の妻を見つけるように彼に言うところだった。

ローレルが客間にやっと着いたら、ジャネットは火のない暖炉のそばで、背もたれの高い椅子に座っていて、屋敷の女主人同士の黙認により、ローレルがここにいる説明をする必要はなかった……。十年のうちに、結婚プレゼントの多くが壊れたり、しまい込まれたりした。部屋は余計に悲しくなり、普通になり、脈絡がなくなり、十年前の部屋は涙もあり口論もあったが、すべてが輝いていて、工夫が凝らされ、おしゃべりが交わされていた。その体制がいまは硬直していた。家具を動かしてはならず、お化けのような新しいカーペットが一枚敷きこまれ、これは色が褪せないカーペットだった。愛の使者《キューピッド》のような時計が時を刻み、心がその振り子の上にあった。それをプレゼントしたいとこのリチャードは、いまはサイモンのゴッドファーザーで、ニュージーランドで安泰であった。なめし革の煙草のケースがその名残をとどめていた。

「──ああ、それは空っぽよ、ジャネット。悪いわね」

「煙草は吸わないのよ、じつは」

「そうね、でも吸いたかったのでは──道路がうるさい？　窓を閉めましょうか？」

「キングズ・ロードの交通ね？」ジャネットが驚いて言った。「いいのよ、ほとんど気にならないから」

「ねえ、わかるでしょ、子供たちがいる場所がどこにもないのよ、特別な場所にいない限り──どうして私を見つめるの？」

「見つめてた？　どんな風に？」

「見つめてたわ──ああ、いい、どうしたのよ！」

ジャネットは口がきけなくなった。手立てがなかった。いつになく強く明るい気持ちで、新たな活気もあった。死んでもいい、もう呼び出されて説明することはないのだから。死んだ、しかし肉体はバラバラではない。そこには奇異な楽しみがあった、右手が左手に乗っていて、身に着けた薔薇を見下ろし、力にあふれた不動の肉体をまとってこの部屋に存在していることに、この部屋ではエドワードが、人生の不安な証拠に埋もれて、手紙を書いたのだ。

ローレルはジャネットが理解しようとしないことがわかっていた。口調が変わり、そして言った。

「ほんとによかったわ、ロンドンに出てこられて！」

「来なければならなかったのよ、むろん来たかったし――」ジャネットが口を開いた。そして話を急にやめて、ローレルのそばに行き、慰めた。「やめて、やめてよ」彼女は泣き声だった、狼狽と憐憫からだった。彼女はローレルの顔が見られなかった、顔は肩に押し当てられている。誤解だったのだ。ローレルは泣いていなかった。何かが目覚めたのか、震えが起き、それがすすり泣きと思われたのだ。大きく見開いているのに、ローレルの何も見ていない目が、何も見ずに、不信感で陰気に見据えていた。彼女は体の緊張を解いて、ジャネットの慰めにぼんやりと身をゆだねた、子供の慰めにゆだねるように。頭を垂れ、手がまさぐり、ジャネットの肩のほうにぎこちなく動いた。そして狼狽を彼女の向こうの虚空に飛ばした。その部屋では、人生がジャネット中心で、その情熱的な宿命が中心だった。慰めのこのパロディが何分も続いた。

「ローレル……」

「私たち、逆戻りできたらいいのに」

「あなたと私だけになりに？」

「それはあなたのなりたいことでしょ？」と言ったローレルは、突き放すような無関心を見せた。

「わからないわ。思い出せない」

「返事してよ――いいえ、返事しないで。何になる？」

「私たち、お互いに質問したことがなかった――」

「何かがなかった――。長い間待ったのね、ジャネット。待っていたんでしょ？　エルフリーダは何もかも知っていた。彼女は私の肩越しにいつも何かを見てきたのよ、彼女は私の不倶戴天の敵だった。エドワードが落ち着かないのも不思議じゃない。笑っちゃうわ、私がすべて持っているように見えたんだって？　私は友達も全然いないし、お母さまとウィラとミセス・ボウルズがいるだけ。私は娘以外の何かだったことが一度もないの」

「怒ったらいいのに――」

「私って、いままでここ何年もすごく滑稽だった？　自分ではよくやってきたと思っていたの。あの結婚式の日ときたら、あの雨、それにあのひどい間違いときたら！　でも誰も言ってくれなかった」

ジャネットは気がついた、あまりにも長い間ローレルを抱えていたこと、そういう触れ合いの生活は過去のものになったことを。彼女はまたもとの椅子に戻った。この突然の大変動は非常に静かだった。

「いつ知ったの？」

「あの物好きなシオドラが書いてきたときに。最初は冗談に見えたけど、興奮したわ。戦争が始まるみたいだった。エドワードに手紙を渡さないことなんて、全然思いつかなかった。それから私は彼を見たわ、私はエドワードに会ったの。――彼のお母さまどころじゃなかった。あなたがロドニーと婚約したときに、あなたと彼が口論したのを思い出してね。どうして私があのときそこまで気になったのか、それがわかった。エドワードと私は一度も喧嘩しない。私たちは戦ったの。彼がバッツに行く前に、私はまさか言うつもりもなかったことを言ったの、思ったことすらなかったことを。『あなたがエルフリーダのことを気にすべき理由など、一つもないわ！』って」

「彼は実際に気にしていたわよ、ローレル」

「ああ、彼は気にしてなかった——何て奇妙なの、ジャネット。あなたは彼を知らないのよ！　でも彼は生きていくために何かが必要だったの」

「言うつもりもないことを言ってるのね」

「会うことなんか、平気だった。彼をとても愛してるから。ほんとに愛してるの。だけどエルフリーダのことを考えると、彼女が持っているもの、彼女が何者なのか、それがずっと恐ろしくて。あれが私たちを零落させたの。私たちはきっと何かを見失ったのね、私たちはほかの人たちを見張っていて。まるであのゲームよ、リングがみんなの手の下にめぐらせた紐の輪をぐるぐる回るの——みんな知らないの、リングがどこにあるのか、誰が持っているのか。怖かったわね、ジャネット、あれは、あれはほんとに。あれがみんなを零落させたのよ」

4

関与できないこの危機に、レディ・エルフリーダはよそにいた、イギリス海峡のアイルランド側にいて、無邪気に海外暮らし。エドワードは、その同じ日に、ホワイトホールを早めに出て家路についた。しかし到着するのが嫌になり、行くあてがないのを残念に思った。閉鎖した母の屋敷は、カーペットの上に紙が敷いてあり、家具には白布が掛かっている。セント・ジェイムズ・パークに入り、湖を回ると、うるさく鳴く水鳥が七月の重い樹木の下にいて、彼は彼女の歓迎の資質、彼女の情愛にあるあの何か、陽気な無知を決めた気配があることを思い出した。彼女の微笑がうっとうしくて、微笑するのを百回省いたことで彼は許しを乞うていた。彼女は遠く離れている。このとき、ロンドンはたんに一個の貝殻で、彼女の不在が刻印されていた。彼女は彼がいないのを寂しく思ったことがあったか？　彼女の皮肉に小さな点数をつけたほかに、彼が差し出したものは少なすぎた。

急に、エドワードの行く所がどこにもなくなった。彼は自分の世界に生きるには、年を取り過ぎたと感じた。彼はもう卒業していた。

トレヴァー・スクウェアが存在しなくなって以来、彼は疑わなかった、ジャネットがその日にバッツに戻るであろうと。彼女はそうと言わなかったし、何も言わなかった。彼らはそそくさと別れた。彼女の表情のない顔が、微笑したあとは完全な白紙になって、彼自身と彼の思考の間に割り込んでいた。彼は目をそらせた。

いまはもう、なされるべきことは何もなく、別れるか話すかだけが残っていたが、二人ともそれは不可能だった。彼らは馴染んだ二通りの方角に道を取り、存在を遂行した。もういま頃は、ペルメル近辺の海運会社は閉店だろう。彼は問い合わせてセント・マロ号の家族予約を確認すべきだった。数年にわたり、ティルニー家は海外に出たくてたまらなかった。孤独を渇望し、時間に制限のない対話、空間、何の予定もないレジャー。しかし来る夏も来る夏も、彼らはバッツでメガット家にやむなく合流してきた。しかしいまや彼らは「休日の田舎暮らし《ヴィレジテュアラ》」を決断、ブルターニュの浜辺で、泳いだり、眠ったり、食べたり、だがおしゃべりはしない？　笑ってもいいが接触はダメ？　接触はいいが見るな？　ローレルは沈黙を敵にした。だがこれがもしかしたら彼女の寡黙なのか？　彼は質問したことはなかった。

六時半になり、帰宅はやや不可能ではなくなった。エドワードは家に着いた。ローレルは可愛い小枝柄のコットンドレスを買い込んで、海外に持っていくつもりだった。試着してみた。メーキャップも薄いひと塗りでは済まさなかった――日焼け予防にと言って。エドワードは彼女の化粧テーブルのそばのスツールに座り、彼女が片方のきれいな肩を回し、次にもう一方の肩をめぐらして長い姿見のほうを向くのを見ていた。彼の微笑が映ったのを見て、彼女はすぐ彼のほうを向いた。彼女は言った、シルヴィアが子供たちをケンジントン・ガーデンに連れて行ったの。二人で食事に出ましょうよ――クイーンズで、いいかしら？」

　彼はいい考えだと思った。「ルイスに訊いてみよう」

「彼はジャネットと食事だと思うの。彼女は今夜、ロンドンにいるのよ、ええ」彼女はホテルの名を言った。

「じゃあ誰かほかの人に訊いてみよう」

「あら、エドワードったら？　わざわざいいのに！」

「わかったよ、ダーリン」

「じつはね、エドワード、私ちょっと吐き気がするの」

「残念だな――」

「違うのよ、軽いディナーにして、早く家に帰りましょうよ」

「そいつはいいや」エドワードはそう言って、ピンクのドレスのフリルにちょっと触った。

「悪くないでしょ」ローレルは姿見に映った自分を見てニッコリした。そしてフィシュ[*1]を結び直しながら、内心こう言っていた、結婚って、いいことだわ。彼女はプライドなど持っていなかった。彼が彼女を愛さなくてはいけない義務のあるのがいいことなのだった。彼女が好きなのは、そばにいること。四時からずっと、ジャネットに会えなくていかに淋しいか、それが顔に出ていた。彼女はむき出しの両腕にオレンジ色のパウダーをはたいて、その腕を突き出した。「太陽よ」彼女が言った。

　姿見に映ったエドワードのまなざしが、ピンク色のひだ飾りに注がれているのが見えた、表情を断固消している。長く見つめる彼女の優しいまなざしは姿見が受けとめ記録しただろうが、それは鏡に映る彼の映像にさらわれた。気づかれるのが恥ずかしくて、彼女は微笑しながら綺麗な女らしい外観に包まれたまま立っていた。エドワードは彼女がもうさようならと言った人みたいだった。その人は、彼女を置き去りにして忘れ物を取りに行ったみたいだった。急いでいる人、引き留められたくない人は、近寄ることもできないので、ドアの隙間か階段の手すりから、その幽霊のような出入りを見守るしかなかった。

「僕、何か言った?」エドワードが起き上がって言った。

「来週の今日は、もうブルターニュにいるのよ。アナはものすごく怒ってるの。彼女には自分の考えを持ってほしいとは思うんだけど?」

ということで、彼らはクイーンズで食事をし、アナについて論じ、あの子にはいつもびっくりするのよ、何をするか予想がつかないラバみたいだけど、何かをなし遂げたいのね。ローレルはデザートの桃をすませると、気分がよくなったわ、家に帰りましょうと言った。エドワードはひと仕事しようかなと言った。彼らはスローン・スクウェアで別れた。エドワードはローレルをタクシーに乗せてやった。夜は息苦しかった。針のような数個の星が濃密な空を突き刺している。当然、彼女は訊かなかった……。

エドワードはスローン・ストリートを北へ少し歩いてから、タクシーにジャネットのホテルに行くように言った。むろんルイスが一緒にいるだろう。彼にはある考えがあって、ルイスと一緒に歩いて家に帰ってもいいと思っていた。彼が見ると、二人は小さな居室で高いシャンデリアの下で書類を見ていた。明るい小さな地味な部屋は壁に固定したコンソール・テーブルがあって、金色のシダがすべての鏡を這い登っている。

「私たち、マリーズの小説を見てるの」

「へえ！　君は小説について知ってるんだな、ルイス？」

「いや、まったく。しかしマリーズがくれたので」

「ルイスが言うことを、私たちがいま考えてるところ」ジャネットは微笑んだ。

エドワードは言った、小説を原稿の形で展示会で回覧しようと考えている、そして一緒に家まで歩こうとルイスを誘った。ジャネットはまぶしい照明を浴びて座り、各章を順番のとおりにそろえていた。彼女は機械的に言った。「みんなで行かないで」——もうこの頃は、彼女はエドワードをほぼ諦めていて、彼は来ないものと思い始めていた。彼女は彼に原稿を手渡してどこかに置いてもらうつもりだったが、目は上げなかった。黒っぽい赤のレースを着ていたので、多かれ少なかれ彼女その人には見えなかった。カントリーの主婦然としていた。ルイスが暑いと言い出して、レースのカーテンの後ろの窓を開けて、エドワードにドリンクの注文をしようと出て行った。その刹那にジャネットの目がエドワードの目と合い、彼女が言った。「彼に出て行ってもらって」

「彼と一緒に行って、戻ってこようか」

「いいえ、それは——いいわ、どうでも」

ルイスは自分を口実には使わせなかった。彼はエドワードが一緒でなくても、行くと腹を決めていた。彼は自分のこの考えで引っ込みがつかなくなり、彼ら二人にも溝ができた。ジャネットは、固いソファにもたれ、目をつぶり、疲れているのよと抗議しながら、自分がある種の殺人に加担していることが読めてきた。殺人の等級は無関係だった。無罪判決が、彼らから繰り返された打撃をかいくぐって、血みどろの頭を何度も何度も持ち上げ、ルイスはエドワードを追い払うのに振り回した帽子を手にして、非社交性と体調不良と思い出した用件に抗議しながら、ドアのほうに後退した。率直な同情と愛着を浮かべた彼の目は、ジャネットからエドワードに移った。吐き気をもよおす不快な確執は終わった。陰険さは、ヒュードラ[*2]のように多面的だが、笑顔にもたけている。エドワードはルイスと一緒に出て行った。

ジャネットは、一瞬あとに出て行って、ポーターにエドワードを二度と入れないように、自分はもう寝室に引き取ったとエドワードに伝えてもらうつもりだった。しかしポーターがいなかった。ジャネットは居間に戻った。エドワードが戻ってきたとき、彼女は彼が去った時のまま、ソファの上にいた。彼は居間のドアを閉めた。

ジャネットが言った。「私たち、どうして彼を自然に解放できなかったのかしら？」

「僕は思ったんだ、君が……」

ジャネットは自分の両手を見た、有罪みたいな手だった。両手が震えた。

「これは君だけの部屋？」

「いいえ、悪くないでしょ？　でも誰も入ってこないわ」

「もう腹を立てないようにしようよ」彼が優しく言った。

「そうね。エドワード、そうよ、静かにしていましょう。ああ、そばに来て。そうするほかに、何しに戻ってきたの？」

窓は、レースがたわみ、明かりのない中庭を見下ろしている。その上の窓は静かで、下の窓は人の声がした。エドワードはジャネットを抱きしめた。彼女の顔が冷たく顔に触る。彼女の人生は延長するのをやめ、この一瞬のコンパス内に深くとどまり、暗闇に停止し、驚きを通り過ぎた。

衝撃が過ぎ、衝撃はなくなった。彼らはまた黙って離れ、ジャネットは震えていた。彼の手は離さないで、彼の指に触れ続け、軽く必死なその触れ合いは、盲目の人のようだった。心が安らいだのか否か、何の印も浮かべなかった。そしてやっと言った。「私たちは行く所がどこにもないのね」

「いまも?」

「いつも。どこにも場所がないんだわ」

「この午後、僕は思った……」

「思わないで。まだ。ああ、私を置き去りにしないで」

「僕らは気が狂ってるよ、ジャネット――あの窓だけど……」

「知ってるわ、人がいたってかまわないの。一度でいいから気にしないでいましょう!」

「ああ、君は美しい……」

「ああ、もう行って」彼女はそう言って、震えながら引き下がった。「さあ、行って」

「僕にはその力がない」彼が言った。彼女の指が彼の手の甲の上でためらった。

「あなたなしでここにはいられないわ。あなたなしでは生きられない。今夜バッツに帰るつもりだけど」

「帰れない」

「一時の列車があるの」彼女は言った、顔を上げて、照明にとまどい、言葉がなかなか見つからない。「いつかは帰るわ」

「さようなら?」とエドワード。

彼女はすべてが撤収するのに直面するほかなかった。彼女の視線は動かない彼の視線の回りを傷ついたように奇妙にめぐり、うろうろした。彼がとった動きに彼女は微笑し、愛しい懐かしい何かに微笑んだようだった。彼女は顔の造作を一つずつ探り、仮面を学び、彼には気づいていないみたいだった。彼女が突然とても若い、戸惑ったような、光が見えたような愛らしい顔を彼の視線にさらしている間、彼は彼女がまとまるのを感じ、彼女の傷そのものを通してある力を発するのを感じ、彼から来た光の中で暗く、五感に届かない、精神によって突き通せない力を感じた。彼らはまだ話すことも別れることもできなかった。彼の意志は彼女のものではなく、彼女の意志は彼のものではなかった。彼らの意志は凍結した滝のように、時間の外にそそり立っているようだった。

「さようなら?」彼がまた訊いた。

「それを言わなくてはならないの? 私の勇気を無駄にしないで、始まったばかりよ」

「ジャネット……?」

「私は何を言ってるのかしら? これが終わりなのに」

「とは言い切れないよ」

「私たち、何の約束もしなかった」

「そのとおりだ」エドワードは蒼白になって言った。「どうやって約束できた?」彼はこの憎まれ口に高揚したようだった。「僕らの約束にどんな価値がある?」

「エルフリーダの約束と同じよ」

「彼女か――」

「彼女のことはもう口にしないで!」ジャネットは叫んだ。ここで初めてみた彼らの思いの同一性《アイデンティティ》は恐ろしかった。「彼女は彼女自身なの。彼女自身の人生を過ごしたわ。でも、あなたと私は――」

「僕らはあれほど自由じゃない？」

「ええ。つまり」彼女は瞼を奇妙につり上げて言った、広がった虹彩《こうさい》を彼の虹彩に据えながら。

「私たちは――私たち、憎み合う必要はないのよ」

「――動かないでくれ、変わらないで。君はとても美しい。女とは何者かなど、考えたこともなかった――もしこれが終わりなら、せめて一度互いに慰め合わないか？」

「いいえ――お願い、それはやめて――私は二度と触れてもらえない――」

互いに身を引き、彼らは曖昧にドアのほうを見た。階段が廊下を横切っている。彼らはこの撤回の瞬間、完全な別離に会い、互いを見失っていた。それぞれが入り混じる痛みの感覚に閉じこもった。足音がいったん止まり、遠ざかった。ジャネットは見回して、たくさんの鏡に、とり澄まして待ち受けている多くの椅子に目をとめ、世界が待っていると思った。

「いま時間は？」

「十二時」

「ああ、水曜日ね」

＊1　胸の前で結ぶ三角形のスカーフのこと。
＊2　ギリシャ神話に出てくる九つの頭をもつ蛇で、ヘラクレスに殺された。

5

　バッツでは、ハーマイオニが湖でものすごい勢いで小舟を漕いで、ひと声叫んで小舟から土手に飛び降り、目的を遂げた。「バン！　バン！」彼女は叫んだ。彼女は泳ぐ狂ったバッファローに追われていたのだ。

「さあ、さあ、ハーマイオニ」父が土手の上から呼んだ。

「私は冷静そのものよ」

「ともかく、お母さまを起こすんじゃない」

「彼女には聞こえないわよ、あんなに上なんだから」ハーマイオニが瞳を凝らして見つめている湖上の一点は、怒ったバッファローが沈んだ所に立った赤いさざ波だった。「それに、お母さまは眠ってないわ、いま窓に出てきたもの」

「だがカーテンは降りてるよ」

「そうよ、彼女が降ろしたのよ」

「もっと静かなゲームをしなさい」ロドニーが言った。「魚釣りでも」

「ああ、いまはできないの。罠を仕掛けるんだから」

ロドニーは振り向いて、急ぎ足で土手と芝生を上がり家に向かった。時間がなくて、やりくりしなくてはならない。しかし、ジャネットの早朝の帰宅が謎めいていて、その謎が景色にまだ垂れこめたまま、どこへ行ってものを言ってくる。彼女は朝の六時にマーケット・キートンから電話してきて、タクシーをと言ってきた。いまはおそらく眠れないのだろう。風が出ていた。七月の樹木は濃く生い茂り、光の邪魔をして空とじゃれ合っている。家の下に立って、彼はカーテンの堅いチンツ更紗が窓枠に触れて囁くのを聞いた。明るい昼日中に雲がゆっくりと急ぎ、屋敷は疲れた目をして、疲れた目で見られていた。タクシーから降りても、彼女は何も説明せず、言い訳もなかった。忘れてしまった——忘れてしまったのだ、眠ることを。

帰りたかったのと彼女は言った。しかし説明なしに大急ぎで、ひと晩がかりの旅をしたのだ！声の調子を抑えてロドニーは呼んだ。「ジャネット？」

ジャネットは頭の下で両手を組んで寝ていた。眠れなかったのに、ここに寝ているのを恥じていた。思索にならない彼女の思索を通して支配され、膨らんだカーテンの背後になって見えないスカイラインが、この巨大な一日を支えていた。彼女は空に対する大地であり、道路で丸く囲まれ、鉄道網を張り巡らされ、耐えがたいままに、夜となく動き悩まされていた。列車から、不眠で、昨日からもまだ解放されず、新しい日の夜明けを見た。やがて恐ろしい風が暖炉上から吹いてきた。みんなはどこにいるのだろう？　あれはいったい何だ？——ドアが閉じるのが聞こえた。

彼女のドアは音もなく開いた。ロドニーが入ってきた。彼を出迎えた隙間風に乗って、カーテンを通って、明るい黄色いその日が乱暴に入ってきた。「ロドニーなの？」

「眠ってなかった？」

「ええ、起きようとしていたところ」

「本当に大丈夫なの？」彼はベッドの裾に座った。「頼むから、ジャネット、あれはもうしないで！一日だってその意味はない」

彼女は微笑した。「そうよね、ロドニー」

彼は彼女を見つめ、医者の目ではなく、ただひたすら面食らっていた。

「母親同盟《マザーズ・ユニオン》が今日来るの」彼女は言った。「ケーキは作らせたけど、そのほかの指示は出さなかった」

「君はその会員ではないと思ったが？」

「会員でなければならないの。とにかく、彼らは『その日』のために来るんだから。サイクス・アンド・ベンソンに来てもらって、ロフトから架台とベンチを運ばせていいかしら？」

「ロフトはそんなものを置く場所じゃないと思うが？」

「ええ、そうね。私たち、再編成しないと。今夜男たちが来て、テーブルと椅子に防水シート《ターポリン》をかけるのよ、そしてそのまま残ってもらって国際連盟《リーグ・オブ・ネイションズ》に」

「国際連盟？」

「木曜日に来るわ」暗がりを急に求めて、彼女は両手で目を覆った。

「駄目だよ、いいかい、ジャネット。君はいまいる所にいないといけない」

「あら、私はテーブルを正しい位置にどうしても置いてもらいたいの」

「君がもしこれから眠らないなら、すべてのことを聞かせてほしい」ロドニーは沈んだ声で言った。

「僕は五分間、ここにいるよ。君はまだ戻ったようには見えない。いい一日だったんだろう?」

彼はこうやって彼女と一緒にいたかった、彼女はカーテンからくる揺れる光に身を任せている。真紅のミュールをはいた足を組んで座っている。付き合いに、彼はその横に手を置いた。「それで?」彼が言った。

「そうなの、ローレルがお母さまとミセス・ボウルズとウィラと一緒にクラブでランチをしたことがわかったので、私はエドワードと一緒に。それから――」

「どこでランチを? エドワードは元気だった?」

「イオニデスで。エドワードはとても元気だったわ。それから私はタクシーでローレルの所に、そして私たち――」

「ローレルはどうだった? 彼女は君の母上とミセス・ボウルズと何をしたんだ?」

「問題なしよ――ああ、彼女らとはどこかで別れたと思う。例によって、アナとサイモンのことでごたごたしたけど」

「もう時間だろう、あの二人が学校かどこかに行くはずの?」

「ローレルは学校が彼らの性格を壊すと思っているのよ。そこで私たち、話して――」

「彼女はブルターニュを楽しみにしている?」

「ええ、とても。で、私たち歩いたわ。そしたらルイスが私に電話してきて」

「どうして彼は、君がそこにいるのを知ったんだ?」

「彼はマリーズから聞いて、マリーズはウィラから聞いたのよ、ウィラはランチのあとで、寄り道をしてシオドラを捜しに行ったの。そこでルイスが私に電話してきて、どこかでディナーを、と。ローレルは私を誘えなくて、彼女がコックを子供たちに付けてケンジントン・ガーデンに出してしまったから、私はルイスに行くと言ったの。それからホテルに戻ってお風呂を使ったんだけど、ルイスが呼びに来たとき、私はまだとても疲れていて、外出したくなくて。だから私は彼に、ここでディナーをと言ったのよ」

「それがとても疲れる日だったとは僕なら言えないな。買い物はしなかったのかい？　君はいつもたくさんするじゃないか。どんなディナーが出たの？」

「ホテルで？　ああ、ひどかった」

「いつだってそうだ。想像もつかないよ、なぜ君がそんな――」

「それから私たちは、マリーズの小説を見たわ」

「へえ、マリーズに小説が書けるのかい？」ロドニーは感に堪えたように言った。「何の話？　よかった？」

「うん……女性が抱える困難について、女性に関する困難とか。覚えてないわ。上出来ではなさそうだと思ったわ」

「ルイスはいいと思ったの？」ロドニーは食い下がった。

「何も言わなかった。そこにエドワードがルイスを捜しに来たの」

「どうしてエドワードにわかったんだ、ルイスがそこにいることが？」

「だから、私がローレルの所にいるときに、ルイスが電話してきたのよ――それからそのあとで、ルイスとエドワードが歩いて家に帰ったわ」

「エドワードにはよかったな。彼は運動が十分だったことがないから。それから君が家に帰った？」

「寝るつもりだったんだけど、泊まらないことにしたの、結局。ここのことを思い出して――マザーズ・ユニオンが来ることを――それにロンドンはとても息苦しくて。ホテルの息苦しい私の部屋で、ディナーのために着替えをしたの。それで家に帰ろうと決めたわけ。もちろん、部屋代は払わなければならなかった。でも真夜中の列車はうっとりするほど涼しかったわ、ロドニー。――ああ、そうだ、わかってるの、ごめんなさい。私はバカだった。もう二度としませんから。昨日は出かけたくなる日じゃなかったのよ」

「しかし君は楽しかったんだろう？」

「ええ、そうよ。行ってよかった」

「マザーズ・ユニオンとはどういう付き合いになるんだい？」

「宝探しがあって、ハーマイオニがみんなを連れて湖に行くの。だから、ロドニー、三十分でも眠れたらいいんだけど」

「眠れるといいね。ねえ、ジャネット、エドワードと気まずいことはなかった？」

「何のことかしら」彼女は途方に暮れて言った。

「エルフリーダ問題さ」

「あら、いいえ。それはもう過ぎたものと思うの」

彼は彼女にキスした。

「ディア、ロドニー……」

「嬉しいよ、君が戻ってきて」彼はそう言って、彼女がもう眠ったかのように、そっと出て行った。

外に出ると歩調が速くなった。彼には忙しい一日であった。「そういうことだったのよ、全体として」ジャネットが大声で言った。彼女が動かずにいると、もう足音はなかった。起き上がって、カーテンの間から外を見た。ハーマイオニが長い旗を引きずって草地や芝生やブナの向こうへ歩いている……。何か間違いがあったのか？　ジャネットは自問した。「あの旗でハーマイオニは何ができるのか？　あれはギブソン大佐の旗だ、お祭りのあとに返却するべきだったのに」

ハーマイオニはスズメみたいに跳んだりよろけたりしながら、三色の長い旗を長々と引きずっていた。フランス国旗は彼女の後ろの草の上でしわくちゃになっていた。

ハーマイオニは、マザーズ・ユニオンのために、平底舟《パント》に旗を広げて裏打ちしていた。「彼女は何を考えているのか？」とジャネットは思った。もう一つ旗を取りに、また湖から引き揚げてきた。これがすぐ明らかになった。彼女は、また横になってそれを繰り返した。「私たちみんなが考えていること。私たちはみんな考えがある。私たちは互いに役立たない。ああ、マイ・ダーリン、私たちは役に立たないのよ」部屋で一人、寝返りを打ち、彼女は頬を枕に押し当てた。

エルフリーダがジャネットに自分の日記を与えようとしたが、彼女は書かれたことのない日記だと言った。「あなたが読んでいられなくなることがたくさんあるのよ」彼女が言い足した。「覚えてるでしょ、あなたがパリにいた時――」ジャネットはパリにいた時のことを覚えていた。「彼は出て行ったわ。また来るかもしれないけど、彼はけっして戻ってこないことが私にはわかっていたの」エルフリーダは出て行き、イオニデスの床を横切って、ローレルのカーペットを踏んで、長いフランス国旗を引きずっていった。赤と青が流れ、なびいた。ジャネットは彼女をとめることができなかった。「私の人生を飾るの」エルフリーダが説明した。

ロドニーは女主人を起こしたくなかったのだろう。彼女はランチタイムを通して眠り、午後になった。三時になり、ドアの後ろの静寂に聞き耳を立てたのは、ハーマイオニだった。だが半時間が過ぎて、ロドニーはいないし、何の命令も受けていないので家内はざわめき、咳払いや物音で、ついには騒動が起きた。前例のないことだった。彼女の死だけが、彼らの期待は半分それであり、彼らを宥《なだ》められただろう。ということで、彼女は臥《ふ》せっていた。風も止んで、部屋は重苦しく静かで、ティルニー家の写真がマントルピースの回りで睨んでいた。

彼女にお願いできたら？——彼らは言った。マザーズ・ユニオンは村からもう到着していた。ジャネットは、ハーマイオニが生まれた時以来、これほど眠れたことはなかった。彼女が起きると、赤ん坊が泣き声を上げ、その他の声が芝生から上がってきた。その芝生では、深まる日光を浴びてできたいくつかの日陰の中に、マザーズ・ユニオンがすでに集合していた。

6

ローレルもまた来たるこの水曜日に気をつけてきた。チェルシーの屋根の輪郭《ルーフ・ライン》を遮り、寝室を冷たい指で探っていると、自分の信仰に、自分の宗教そのものにたのむ比重が大きくなってきた。日常性に依存すること。エドワードはまだいない。

真夜中過ぎに、目が覚めて、彼のベッドに乱れがないのにぎょっとして、階下に降りて空しく呼んだが、どの部屋も彼の不在が手で触れるくらい明らかで、彼女は諒解した、彼は帰宅しなかったのだ。彼女は自室に戻った。このような時間帯は望ましくない、記録できない。第一に彼女は足音がいちいち怖くて、タクシーが来るごとに騙されたが、やがて足音なら何でも聞きたくなり、騙されるのを承知でタクシーを待った、希望がかき立てられる。四時半になり——三台ある時計が前後ばらばらに時を告げたので、瞬間そのものが引き延ばされ、歪んだ——ローレルは彼を待つのをやめた。いまはもう夜が明け初めていて、ランプはお化けのようになり、街路が目に見えてきた——彼女は窓から離れた。このあと時計は打たなくなり、何かがどこかで死んだか、差し止められた。

彼女は声が聞きたくて交換を呼び、時間を教えてもらった。これでこの時刻が確定した。次の日は彼のいない日になる。そういうことが起きたのだ。

ローレルはスキンローションで顔を叩き、髪に櫛を通し、また階下へ降りて客間に入った。ここにある荒涼感が奇妙な明るさと解放を感じさせた。カードでペイシェンスをしてもいいし、ピアノを弾いてもいい。彼女は座り、『イヴニング・スタンダード』を手に取った、エドワードが持ち帰ったものだ。電話はひっそりしている。七時前に電話してはならないのは、自明だった。

彼女はジャネットとじかに話すつもりはなかった。七時にホテルのポーターを呼び出して、ジャネットを起こして伝言があると伝えてもらった。「できるだけ早くロイヤル・アヴェニューに寄って欲しい」ポーターはローレルに言った、ミセス・メガットはお部屋を出て、真夜中頃にお発ちになりました。

「ああ、そうだったわ。何か伝言は?」

「ミセス・メガットは伝言を残されませんでした、マダム」

このポーターは彼女の心配をしているのか、あるいは眠りが彼の声に出ているのか? 彼女の声が不自然に聞こえたのか? 「あら、そう、もう出たの?」そしてこう言うべきだった、「そうだった、いま思い出したわ」と。彼女は体が震えた。どれだけ泣いたことか、これまでの間。流した涙は何と親切だったことか!

アナは、電話で母親が話しているのを聞き、パジャマのままで階下に降りてきて、ジェノヴァ・ケーキをひと切れ食べた。早朝の日光で床に四角形が描かれている。ナイトドレスの母親は女学校の生徒みたいに見えたが、窓のそばのソファに座り、『イヴニング・スタンダード』を膝の上に広げている。きっと寒いのだ、体が震えている。新聞がカサコソいう。

見兼ねてアナは言った。「お母さま！」

「そのケーキをどうしたの？」母親が機械的に応答した。

「人はケーキをどうするのかしら？」アナは冷たく言った。

「この時間にケーキでお腹を満たすなんて」

「この時間に電話するよりも悪いことかしら！」

「ああ、まあ、お願い、アナ！」

アナはある感受性を持っていた。「寒くて死にそうなんでしょ。裸同然じゃないの」そしてそのあとはもう騒がないで、ローレルのスリッパを取りに二階へ行った。ローレルは思った、「何と言おうか？」――「私のガウンも一緒に持って降りてきて」と母が叫んだ。子供は、また顔を出して、訊いた。「お父さまはどこ？　ここで寝てないわよ」

「出かけてるの」

「いつもと違うのね！　どうして？」アナは青いガウンでローレルをくるんであげてから、ジャネットそっくりの四角い静かな顔でそこに立ち、かけらを床にこぼしながら、ジェノヴァ・ケーキを食べている。「どうしてなの？」彼女は繰り返した。母は答えなかった。アナはこいつは緊急事態だとすぐ感づいた。いくつかの可能性をあげてみて、全部悲惨だったが、面白味もないしホラーもない。

「ジャネットおばさまはなんて？」

「あら、だって、彼女は出て行ったわ、知ってるでしょ、アナ」

「でも彼女はロンドンで泊まるつもりだったわよ」アナは食い下がった。「おばあさまに電話してみましょうよ」（ミセス・スタダートが「おばあさま」だ）

「しませんよ」ローレルが荒い口調で言った。アナは、ケーキを食べ終え、母親にくっついてソファに座り、パジャマからケーキの屑を払い落とし、それでほのめかしていた。「これで私たちは見捨てられたんだ」と。ローレルは、若い温かな肩を自分の肩に感じ、思った。「アナは誰にとっても慰めになる子だわ」しかし、愛は、人とつながる能力とともに、ローレルから完全に消えていた。アナが突然訊いた。「お母さまは真実を言っている、わね？」そしてさっと身を引いて、真っ赤になって、言った。「お父さまは逮捕されたの？」

ローレルはこれをエドワードのために取っておいた、アナへの鍵として。

それで事はあっさりとアナにもわかった、父は彼らを見捨てて、フランス行きの切符を持ち去ったのだ。アナはこの種のことは聞いたことがあった、シルヴィアのおしゃべりに出てきた。彼女は父を拒絶して、彼に対する自分自身をあらゆる方向で閉じ籠めた——彼の魅力と彼の容貌に惹かれるクールな楽しみ、彼の資産に対する感謝の思い、彼のいたずらや彼の気紛れに彼女が見せる表情など。何時間もかけて、彼女は、愛ゆえに、父を喜ばせるために全力を尽くし、父とのゲームも熱烈に乱戦で臨んだ、その他海賊ごっこなどなど。だがいま、父は——彼女の心はつま先立ちで伸びて、最後の致命的な言葉に上りつめた——彼は限界《インポッシブル》だ。それから彼女の心は駆け下りてキッチンにいたり、おしゃべりに加わる。それがあのエルフリーダなのだ——彼らは運命だ、そうなのだ！本物の父親や祖母ではなく、世間体は悪い。母親は考えない。いまのスタダート家は、つねに世間体を保ってきた。さあ、チェルトナムに帰ろう。ロドニーおじさまに私たちを養子にしてもらおう。

もう二度と離れない。大きな声で彼女は母に言った。「お母さまが欲しいのは、一杯のおいしいお茶ね」

「――アナ、私が馬鹿だったと言いたいの？」

「もし私があなただったら」子供が言った。「思い切り泣くわ――そしてお願い、窓からもう離れて、ミルクマンが来てる」


ルイスにだった、誰あろう、ローレルが相談すべきは。彼はおもて向き覚悟ができており、完全に信頼できた。ルイスのことは、どんな代価を払っても彼女としては避けたかった。朝は、母と娘を孤立させる洪水のように、明けてきた、荒涼とした広大な前景を見せて。サイモンは、風呂から逃げていて、そのへんをうろついて言っていた、「僕、どうするかな？」（アナは何も言わない）。

「いつか」母が言った。「ペエイシェンス[*1]のやり方を教えてあげる」

「お母さま、木工キリ《ギムレット》はいつ買っていいの、フランスに持っていくんだけど？」

十時頃、ローレルがキッチンにいる間に（もし召使たちがエドワードを一度でも好きだったら、難しくなかっただろうが、シルヴィアは二つの家庭が壊れたのを見ていたから、彼女は紳士について知らないことは何もなかった。シルヴィアが戻ってきたのは、不運であった）、アナは客間の電話までこっそり行って、自分の名でルイスを呼び出した（「彼は昨夜遅くに電話で呼び出されたの、急用だったので」ローレルは、階下にいて、これを聞き、疑心暗鬼が顔に出ていた）。

アナはルイスに訊いた、私の父が車に轢《ひ》かれるってありそうなことだと思う？　ルイスはしっかりしようと懸命になった。一瞬彼は願った、これは残酷だがジョークなのだ、アナが作れる程度の。

「それはないと思うのよ、そうよね？」アナが続けた。「お父さまはとても用心深いし。私たち、届け出たほうがいいかしら？　もしかして、どこかいい警察署、ご存じですか？」

「ジャネットおばさんは、どんな助言を？」

「ああ、彼女も行ってしまったの」アナはじれったそうに言った。

「どういう意味、行ってしまったとは、アナ？」

「真夜中に出て行ったの」

「どういうこと、行ってしまったって？」ルイスはひどく動揺して言った。「家に帰ったということ？」

「さあ、どうかしら」アナは知らん顔だった。「要するに、ねえミスタ・ギブソン……」

「君がバッツに電話したの？」

「お母さまは電話をしようともしないし、あなたにも電話させてくれなくて、私に何もさせようとしないの。彼女に必要なのは、ちゃんとベッドに横になること……ダメなの、何と言ってもそれもしないの。恥ずかしいんじゃないかしら。彼女には言ってるのよ……」

「そうかい、でも、彼女はロドニーと連絡をとらないといけない……」

「もしあなたが……」

　しかしここで話は途切れた。ローレルが入ってきたのだ（ブルターニュに行くために買ったピンクのコットンドレスを着て――完璧でしょ。ピンクのコットンドレスを見てちょうだい！）「あなたは何をしているの？　よくも、あなたときたら！」彼女が言った。やりとりがあって、彼女は受話器をアナからひったくった。「どなたですか、アナに話しているのは？」彼女は怒鳴った。

「ルイスです」ルイスは白状した。

「ああ、ルイスなのね……。何か間違いがあったかと思った。アナが電話するなんて――」

「でも、ねえ、ローレル、君が何かしないといけない。そこでじっと待ってちゃいけない。ロドニーと連絡を取らないと」

「どうしてロドニーと？　ジャネットをわずらわせたくないの」

「だがジャネットが――？」

「それが不可能なことくらい、わからない？　何か間違いがあったのよ、私はメッセージ一つ受け取ってないのよ」

「不可能って、どういう意味？」

「何もないわ。何もないって言ったでしょ、ルイス……。あなたは昨夜、エドワードに会ったわね、そうでしょ？」

「うん、そして僕らは十一時頃に、バッキンガム・ゲイトの角で別れたんだ。彼は歩いて家に帰ると言ってた。僕らはホテルからも歩いてきたんだが」

「ホテル？」

「うん、ジャネットのホテルさ！」

沈黙。「ああ、そうよね、もちろん」

「ジャネットは少し疲れて見えた。よくわからないが、彼女は――」

「ええ、家に帰ったのよ、ええ。昨夜帰ったの」

「列車がまだあるとは知らなかった」

「絶対あったのよ、決まってるわ、さもなければ帰れなかった」

「なるほど、しかし、ローレル、彼女に知らせないといけないよ。フェアにしないと。彼女は君を呼びにやったんだ、もし――」

「言っておくわ、知らせませんからね、ルイス。もしもし？　聞こえますか？　いいわね、知らせませんよ。これは私の事だから、私に決めさせてくれないと――」

「ちょっと待って、ローレル、僕がそちらに行こう」

「ありがとう、でも、いいのよ、ルイス……。アナがお邪魔してごめんなさい」

「君がエドワードのオフィスに電話した？」

「ええ……。彼はまだ来てなくて、でも――。ああそうだ、何か伝言があったはずよね」

「とりあえず」ルイスが言った。「少なくとも僕が――」

「いいえ、むしろあなたは出てこないほうが。お願い、ルイス」彼女はこれで終わりだった。彼女は電話を切った。彼女の声はこわばって聞こえ、最後は切れぎれになっていた。ルイスは思った。「これは以前には起きなかったことだ。先には進めない。ここで彼がもし死んだとしても、何か基本原則《フォーミュラ》があるのでは……」ルイスはエドワードがタクシーを拾い、タクシーが人気《ひとけ》のない通りを走り、セント・ジェイムズに戻っていくのを見ていた。

　これは惨めだった。ルイスは不満がつのり、身体が苛々して、皮膚がかゆいのか、つっぱるのか、両手に汗をかいていた。そして起き上がった、ショックを受けた小さな男が和解の叫びをあげて立ち上がった。上方で膨らみ裂けるダムに向けた反抗の叫び。「いや、ちょっと、やめろ！　それをしてはいけない！　ストップ！」彼はこの破滅的な死のような奔流に出会い、動揺した。勇敢に差し上げられた小さな杯があふれてついにこぼれ始めた。恐れ、怒り、誇り。これらは粉砕される。死滅、これらは私を、それらは君を容れない。彼らは君を容れることはできない！

そこでルイスは、悩み、窓の外を見て、家々の高い外壁に燦々と射す夏の朝を拒否した。彼は心が痛んだが、あのみじめな恋人たちのために痛んだわけではない。

自己嫌悪しながらも、ローレルの欲望のまともな造反に遭い、ほどなくルイスはホテルに行くことにした。エドワードは（ここでは常連）、ポーターの話では、十一時直後に戻り、そのあと出て行ったのが真夜中過ぎだった。ジャネットは部屋を引き払っていて、私物を階下に運ばせ、請求書の支払いをし、十二時半頃に出て行ったのは、芝居がはねて入ってきた人たちがドリンクをと叫んでいたときだった。この出入りがあったせいで、ポーターはジャネットがどの方向を運転士に指示したか、覚えていなかった。あるいは、ミセス・メガットは行先を告げなかったかもしれない。彼女は昼用の服装で、黒っぽいマント風のコート、顔も話し方も普通だった。女性が一人、その朝早くに電話してきて、ミセス・メガットをと言った。二人目の女性は、困りはてて、一時間後に電話してきた。ポーターはそれぞれに対して、手違いがないといいですが、と言った。ポーターはルイスを知っていて、彼の態度には驚いた様子だった。ルイスとポーターが知っているのは同じミセス・メガットだった。

「ミセス・メガットは家に呼び戻されたんだ」ルイスは慌てて言った。「彼女が無事に出たかどうか知りたかっただけだ――ああ、手紙はどれもしかるべく転送されたこともたしかめたくて」

手紙は一通、ロドニーからジャネット宛にあっただけだった。

「何も問題なく《ナッシング・シリアス》、サー？」ポーターは言葉だけは熱心だった。ルイスの態度がポーターには面白くないのが明らかだった。「俺はすることがヘタだな、彼らには別の違った友達がいただろうに」彼が強く感じたのは、この種の決定が十年余りも経ったいま、すぐに静かに届くのかということだった。手紙ということで割り引いても、結局は、返事のないことが返事なのだ。あっても相談はないに等しい短いもので、彼の神経質な能率重視、彼女の常識重視あるのみ。居心地のいい玄関ホールには赤い絨毯を敷いた階段があって、悲しく不毛な出立の場面を差し出していた。彼らの愛はホームレスだった。

「僕らは」ルイスは思いまどった――弾力性のあるマットに一歩踏み出して、のしかかるような表通りのまぶしさの中で立ち尽くした。奥まった通りには、白いドア階段と磨いた窓が並ぶ――「行動すべきか、すべきでないか？　彼らには独特の合図があるが、我々には何も残さない」恋人たちすべてに独特の自己本位はさて置いて、ルイスは自分に言った、エドワードは考えられないほど心ない無頼漢だ。彼はかねて率直だったことは一度もない、ルイスは怒ってそう思った。彼はどっちともつかない曖昧さの霧の中で動いてきたが、すべてを考慮しても、名誉はすべて保たれてきた。恋愛中の若者のような彼の自制心の魅力的なこと、幼稚園ごっこのような父親ぶり。――人はこうも言っただろう、最悪でも、この礼儀正しい人殺し、と。このたびの出立の暴力に、自己からの旅立ちに、ルイスは真っ青になった。肖像画は壁から落ちて粉々になり、何もない壁よりひどいことに、底なしの空白が残った、そこに肖像画の人物の両眼があるのかないのか。

　ローレルからはいつも同じ叫び声が上がるだろう、追い詰められて、乱暴に解決する。「私に代わって、彼らを救って！」彼女の家がアッシャー家[*2]のように、心臓から、暖炉から、亀裂が入る。暖炉には火があって、疑心のない月が冷たく見下ろしている。「ああ。彼らを救って！」誠実、ナンセンス、機知、懐かしい慣習のすべて、幸福な習慣。

ルイスが入ったら、シオドラが彼の部屋にいた。「それで――？」彼女が言った、ごねる用意をしている。彼らはどちらも好戦的だった。「どうした？」ルイスが言った。彼女はそうとうな時間そこにいたのだ。彼は煙の出ている灰皿を暖炉に引っくり返し、彼のテーブルから灰を払いのけた。

「何がどうしたの？」シオドラが反撃してきた。「電話に出てくれないから、わざわざ来たのよ」

「そうらしいね」

「私たち、何をするべき？」

「僕らが何かをするべき理由はないね」

「ロドニーはどう？」

「たのむよ、ロドニーにはかまわないでいい」ルイスは大きな声で言った。

シオドラの態度が目に付くほど悪くなった。「それで彼らは行っちゃったんだ、そうなんでしょ？」彼女が言った。しかし彼女は初めて快感を覚えずに虚勢を張っていた。「なんて愚かな人なの、ルイス」彼女はうんざりして言い足した。「雲をつかむみたいよ、どういうわけで私が知ってると思うの？　推測してるだけでしょ――悪夢ね。ジャネットが出て行ったと聞いたの――私たちは今朝になって、ランチをとることになっていたの。私が彼女に電話したの。それからローレルをつかまえようと。そしたら私の話を聞いていた彼女は逃げて、アナを呼んで、おバカな子供のふりをさせたのよ。それに、あなたがこの時間に出かけているなんて、誰も知らなかったわ！――ふざけた顔しないで、ルイス！――でも」彼女は不愉快にも話し続けた。「あなたにはきついことは、わかってるわ。ここまで段取りをつけて、ここまで出たり入ったり、たいへんな気配りをして

――」

「君はこういうことが楽しいくせに」

「当然よ」とシオドラ。本物の悲哀を演出して、彼女は、立ったまま唇を噛み、舞台でよく見る悪漢みたいに。

「心配ないさ、彼らはまた現われるよ」

「だったら、大丈夫ね」シオドラが言った。

「本気で、首は突っ込めないからね――ドリンクでも、シオドラ？」

「いらない、でもありがとう、ルイス」

「じゃあ、もし君がかまわないなら――」

「もう、サイテー！　サイテーよ！」シオドラはこの台詞《せりふ》で決めた。

「ああ、わかってるさ。しかし出て行ってくれないかな、もしヒステリーを起こすなら」

「これには耐えられないの。私は彼女を愛してるの！　はっきり言うわ、このわからずや、私は彼女を愛してるの、世間体などどうでもいい――」

ルイスは不思議だった、シオドラと長く知り合っていて、流血の惨事がなかったとは。「そうか、これはそうとう騒ぎになるぞ」彼の口調は凍りついていた。「君よりほかの人のことは絶対に、決して考えないように。致命的になる、そうだろう、シオドラ？　僕はもう家で横にならないと」

彼女は本当に不幸だった。いいことは何か、ルイスは考えた、ともかく彼女にあった魅力がすべて崩れ落ちたのを考察すると、彼女はさほど不幸ではなかったのだと。「さしずめ」彼は思った、「彼女らは本当に苦しんでいる」と。彼女は完全に自制心をなくしていたので、ルイスは――彼女の手袋と煙草ケースを拾って手渡した、彼女がそれらを下に置くと同時に——彼女をフラットから閉め出すのに困難はなかった。

「じつは」と彼は認めた、リフトの格子越しにショックを受けた目で彼女をとくと見て。「シオドラは嫉妬しているんだ——。しゃべるんじゃないぞ！」と彼は叫び、彼女のリフトが降りはじめた。「それから、ローレルを困らせないでくれ」自分の黒い足が見えたのと同時に彼女の顔が通り過ぎた。彼女も憤慨していた。そうした一瞬の怒り——不純で、利己的な炎。なぜ彼女はここまで来たのか？　彼らが出て行くのがロンドンの空いっぱいに書き散らされたからか？　あまりにも残酷なうわさが森を通り抜け、どんな走者よりも速く走った。動揺したルイスは、早朝だったが、自分で一杯作って飲んだ。そうだ、彼らはまだ道行き半ばで十二時間も経っていない。

これがレディ・エルフリーダの期待していたことか？　彼女のことだからと、彼は漠然と思った。彼は飲みたくないのに一杯飲み、マントルピースに寄りかかった。何が彼の内部の私的な急所を刺したのか？　悔しかったか、軽蔑されたか？　あの二人はいま頃海に出て、ブイの向こうへ、海洋を越えて、たどれなくはないが、戸惑いながらも刻みこまれた不幸な知識に向かっているのか？　陸地志向の彼は船が嫌いで忌々しく、船など全部クソくらえとばかり、いつまでも出発しない出港が嫌いだった。「みんな、とても素敵にやってるように見えたのに」とルイスは思った。

乗船する瞬間に出港する船を観察し、その目で船を見る。もはや感知できない目で。岸辺が引いていくのが見え、どんどん離れてゆく。懐かしい町、船着場に立っている自分がいる、人影——だがそのあと（群衆はどこに？）、みんな去った。港の高いクレーンが、背後の尖塔によって小さく見える。建物がくっきりと目に付き、ボール紙の家々、まだ窓の数が数えられる。無関心に、未知のつながりを感知する。教会の真上にそびえる丘――愛らしく、暗い丘が教会を明るくしている。ときに中に入るが、見上げない。オペラ・ハウスと駅は兄弟同士、双子のアーケードが付いている。急な馬車道は天文台に向かうが、誰も登らない――いまこの町全体が、由々しいバブルに支配されている。斜面をしめるテラスは順序よく、互いを優雅にしている。あなたは見る――このすべてが後退するにつれて――後悔はしても、欲望はない。苦難にある人影はもう感知できない、もういない。あなたの涙は屋根付きのポーティコのある洗練された家を思う涙、知らない家、知られざる家。

――そして乗船した者たちとともに振り返るのも、一瞬だけ。彼らは別れゆく。裏切り者たち、感覚では共にいたのに。船、あの目、岸にいるともう感知できない、もういない。非常な高さのクレーンの下、巻き揚げ機が軋《きし》り、矮小化した尖塔を背にした時計が時を打つ。教会が丘を後ろに隠し、テラスがテラスを区切っている。あなたという群衆が散らばり、もう覗くこともなく、無駄な試みに気づく。みな離れて立ち、それでも町に戻るときは、二人三人と肩を並べて、馴染んだ様子が見える。ぎこちない仕草、見知らぬ者同士が交わす一言二言、ハンカチは役目を終える。さあ、みなお別れだ。船は忘れられて。あなたは旅行者を棄て去り、船は消える。最後のやりとり、一瞬の一体感がすべてをつかむ。後悔すら失われて。近くの町が混乱に乗じてあなたを受け入れる。

ルイスは空になったグラスをマントルピースの上に置き、ローレルに会おうと決意した。彼女はそこに一人で留まるべきではない。そのうえ、彼女にはすべきことがあるはずだ。計画を立てる、とか。あるいは手紙を書くべきだ。

＊1　辛抱・我慢という意味の単語であり、一方、「ペイシェンス（ソリティア）」という一人でやるトランプゲームのことでもある。

＊2　米国の詩人、作家エドガー・アラン・ポー（Edgar Allan Poe, 1809-49）が一八三九年に書いたゴシック・フィクションの頂点、"The Fall of the House of Usher"（「アッシャー家の崩壊」）のこと。

7

レディ・エルフリーダはトレヴァー・スクウェアに管理人を置いていなかった。どこにも鍵を掛けようとせず——鍵をほとんど携帯していなかった。管理人の怠慢・無為を疑っていて、うろうろするだけの人が家にいるのは思っただけでも嫌だった。だから彼女は合鍵を一つエドワードに預け、あとから何か送ってほしい場合にそなえていた——彼はその鍵をほかのと一緒に輪に着けて持ち歩いていた——そして掃除婦のミセス・トムソンと段取りをつけ、彼女は、毎日見に来て、窓を開け、必要なときは埃を払い、手紙を転送し、誰かが無断で来たら報告することになっていた。ここ数週間、ミセス・トムソンの訪問時には事件がなかったが、この水曜日、彼女は「大転換」を経験した。客間のブラインドを上げたら、ソファの上で寝ているミスタ・エドワード・ティルニーがいたのだ。お気の毒なお若い紳士は——彼はまだそう見えた——靴をぬいで、埃除けのシートをはがしたソファで、眠りこけてはいるものの、とても窮屈そうで安眠どころではなく、全然眠れないと知る旅人のようだった。ミセス・トムソンは悲鳴を上げた。彼は、音もなく目を開き、しっかりと冷静に彼女を見つめ、いつもどおりの彼女を見ているようだった。彼はわけがわからなかった。しかしできる限り楽しそうに説明した、自分の鍵をなくしたので、自分の家から閉め出され、母親の鍵を持っているのを思い出し、ここに戻って夜を過ごしたのだ、と。ミセス・トムソン、お前を驚かさなかっただろうね？　ミセス・トムソンは驚きましたと打ち明けて、あなたが捕まらなかったのが一番嬉しいと言った。地区担当の巡査が家を見張っているので、と彼女は言った。巡査は避けたとエドワードは彼女に言った。「一人前の泥棒になれたかな」彼は楽しそうに続けた。そしてソファに座り、指で顎を撫で、何を思い出したのかむき出しになった客間を奇妙な感じで眺め、いま何時かと尋ねた。彼女はいま十一時ですと喜んで言った――ミスタ・ティルニーのほうに問題があるかもしれないと期待していた。あの若い女性はお気の毒に！　だが彼に飲酒した匂いはなく――この言い訳でミセス・トムソンをだますのはまず無理であっただろう。彼はまた一瞬目を閉じ、それから起き上がって靴を履いた。彼女はお茶になさいますかと言った。彼は髭を剃って、新しいカラーが欲しいと言った。どちらのためにも出かけなくてはならないんだ。ミセス・トムソンは、自分にも息子が数人いるので彼の言い分をきいてしまい、あとで、お茶をしつこく勧めなかったことを悔いた。バルコニーの窓から彼女は見ていた、彼が奇妙なことに、トレヴァー・スクウェアに行く前にハタと立ち止まったのを。

彼はハタと立ち止まり、太陽が柵のそばに注いでいたが、自分が考えられないことを知って驚いて、道をくだり、ハロッズのほうに向かった。ハロッズにはカラーがあるはずだ。髭も剃ってもらえるか？　ローレルが彼の心の表面に軽く浮いていて、枯葉の骸骨に水を動かす力はない。彼の沈黙、彼の彼女への残酷さは、見え透いていて、影一つ射していない。朝、ナイツブリッジ、ハロッズの茶色のドーム、ミセス・トムソンの驚き、すべてにほとんど重さがなく、何も異常に見えなかった。彼はローレルがほんの少しでもトラブルに巻き込まれるのが耐えられなかった。いま、彼女の絶望を思っても、彼は自分が変わらないのがわかっていた。もはや不可能なことはひとつもない。何かから解放されたのだ、自由になったのだと彼は思った。束縛のないこの関係が、評価も斟酌も受け付けずに彼の頭の中を駆け巡り、彼はカラーを買いにブロムプトン・ロードに近づいていた。自分に親しみを感じ、自分の足音を聞き、自分の影を見下ろしていた。

この自分の影が七月の歩道に痛く（まだ非常に疲れていたから）、長く見ていられなかった。彼らはフランスに——彼は週末へと、狭いが深い間隔を飛び越えた——ブルターニュにいるのだろう。彼は自分で切符を持っていた——ほら、ここに、ずっと持っている。土曜日にティルニー家はロンドンの家を閉めて、元気に出発するのだろう。

質問があり——前方に真紅の電話ボックスがある——彼は連絡する気になった。電話で？ 彼は真紅の格子窓の中を見た。誰もいない。電話帳が破れている。電話する？ 彼は自問した、ほかの男の誰がローレルに言えるだろうか？ ほかの男はいない。「君の所に戻れなかった。もし君に戻れないと話していたら、戻れただろう」彼は歩調を速め、電話を通り過ぎた。先に進んで、角で足をとめた。ブロムプトン・ロードは唸り声をあげ、すぐそばにいた。ローレルに対するエドワードの残酷な仕打ちは、そうと知って果たされたが、そうとは知らずに計画されたのか、一句一句組み立てられ、細部にわたって刻まれたのか、あるいはカンバスに近づいて立って詳細に彩色されたものであるかのように、彼はその仕打ちからいま一歩下がって立ち、その大きさに、その無知な大胆さに、彼の内なる巨大な他者たる自身の自覚に接し、新参者が抱く畏怖に打たれた。

雲の峰の東に白い通路がゆっくり開け、高く掲げられた日除けのテントに動きが出てきて、ロンドンの上空や周囲に熱い風が騒がしく吹いてきたのがわかった。彼は思った、バッツでは、ジャネットが我が家で落ちつき、静寂のために建てられたあの家に風が舞い込んでいるだろう――霜《しも》がおりた朝は、木々が窓枠に浮かぶ映像のごとく、湖から昇った霧は動かず、晩夏の重さが――どこか不安で、本来の自然とは異質、カーテンと陰翳の動きの合間に、一種の緊張が走る。彼女はあるいは一日中眠るだろうか？　その人生の愛しき単調さ、それが浮上して、彼にとっては彼女の溺れる顔を覆い隠す。彼女を忘却し、その表情のすべてと最後の表情を忘却することが、彼との眠りの中で定着した。もし彼が本当に墓に埋葬されるなら、ここで彼とともに墓に埋葬される。彼の精神の親友になる。彼の精神そのものになって、その精神は、彼女について漠然とした彼の思いの周囲を旅する、目の見えない手のように、後悔や欲望はなく。もし彼が彼女を再び見ることがあれば、いつものようにうなだれて、どこも見ないで、何か考えている彼女を見るのだろう。彼女の不在、彼女の沈黙、彼女の慎みは、彼が彼女について持っている唯一の感覚によって、いままた伝えられた。もし実際に今日と昨日の間に彼らが会ったなら、会いたくないのに会ったのだ、さもなくば、喜びのあまり会わなかったのだ。それとも昨夜は、その日一日を費やした明暗なかばする熱情と、明暗わかちがたい歳月のあとで、彼らは初めて光に照らされ、別れたのだ。

彼は妻のことを思った。彼のそばにいる彼女を空間のない現在に放逐し、彼らの間には物言わぬ電話線の苦しい緊張があり、彼は親密さが連鎖して明滅する中で彼女を見た。ローレルはドレスデンの陶器を全部片づけた――ああ、と彼女は泣いた、これとともに彼らはいかに生きてきたことか！――不可解さを身につけ、床の向こうの彼にクッションを投げて、顔にクリームを顎から上に撫でつけた。

「伝言があるのは知っていたわ」彼女はルイスに興奮して言った。「間違いがあったのも知っていたわ！　でも、ありがとう、ルイス、本当にありがとう！　でも私たち、あれはなかったほうが――」

彼女はルイスにランチを出したかったのだろうが、彼が去るのを見るほうがもっと好ましかっただろう。そのうえ、ランチは出さない。何も注文していなかった。彼はまだ玄関ホールに立って、横目で彼女を見ている。何かがまだあるらしい。十二時半だった。エドワードの電報がやっと届けられた。サンドウィッチでも――彼女が火を消すのを彼が手伝ったかのように、彼らは家を引っ越すかのように？　彼女はこのための勇気がなかった。ディア、ルイス――だが、どこまでも見通せないのが彼だ！　彼は彼女から離れようとしないのか？

アナが彼らと一緒にホールにいて、すっかり成長したような少女は、腕を母の腕に通している。ちゃんとそこにいる。ローレルはルイスのマナーに読み取っている――これまでのところ、ほとんど集中できない彼にマナーがあるとして――アナがハーマイオニのように育てられなかったのを彼は残念に思っているのだ。彼はアナに家出してくれと言いたかっただろう。ローレルはもちろん正常さを改められたらと強く主張したかったが、アナに家出してくれと言うのは正常ではない。ここはバッツではなく、ローレルはジャネットではない。アナには出てゆく所がどこにもない。

「それでも、僕はそうは思わない」ルイスが間を置いてから言った。

「何を思わないの？」

「必要もないのに騒いだとは」

「ああ、そうなの、ルイス――みんなをホールに立たせないでよ」

そのとおり、いつも大勢でやってきた。いまもまさに、シルヴィアが地下の階段に注意して入ってくるのが聞こえた。「本当にありがたいわ」ローレルが言った。「エルフリーダがアイルランドにいてくれて」

「私はわからないな」アナが始めた。この子は、突然エドワードの娘として再相続を果たして以来、訳知り顔でローレルの肩のかたわらから見つめながら、確実にルイスを敵視していた。そして誰かがシオドラについていますぐ何かするべきだ、誰かが彼女をとめないと……。「あなたは狂っていた」と誰かがシオドラに言うべきだ。誰かが彼女をやめさせないと。ルイスとシオドラは直ちに会わなくてはいけない。彼女の心のために、彼の心も一緒に、それがたった一つしかない、演目なしの大劇場だった。ジャネットは家にいて、眠っている――ロドニーはすでに電話していた――エドワードがすぐ戻ってくるだろうと。船は出航していなかった。アロエは花開かなかった。

「私、わからない」アナが言った。「彼はどうやってトレヴァー・スクウェアで朝ご飯を食べたの？」

「さあ、客間に行きましょう」

「いや――いいかい、ローレル。僕はもう行かないと」

「ここに残って、ランチをしていって！」

ローレルの強がりは最高潮に達していた。野性そのものだった。無駄にする勇気があり、いまは、それが必要だった頃をはるかに越えていた。そしてこの恐るべき一日を一気に跳び越していた。大笑いし、アナが引っこめようとすると、その手首にごく自然に陽気に手錠をかけた。子供としては、監視されて、またもや疑惑に憤慨した。彼女の父が朝食を取らなかったのをみんな知っていた。まだ問題が残っている。彼女は公正に使われていない。

「お母さまはあまり嬉しそうに見えないわよ！」彼女は叫んで、二人から宥《なだ》められる羽目になった――彼女はただのアナなのか？　彼女は朝に育まれて、一本の若木のように力強く成長し、破滅の思いから抜け出した。だが違った。彼女は何も知らず、それを彼らは確信していた。彼女は、起きなかったことは一つも憶測できなかった。ルイスとローレルは少女を十分に慰められなかった。ローレルはサイモンは連れないで映画に行くことになった。アナはフランスに持っていくパラソルを買ってもらった。

ルイスはもう本当に行かないと、と言った。ローレルは階段の下でさようならと言い、半分上がりかけた――この一日がまだ要求していた――彼はホールのドアをまだ開けていない。そこで彼女は不安になって振りむき、アナを押しのけて、走って降りて彼をつかまえた。フランスとか出発とかホリデーのことで、何か口早に言った。これで、数週間、お別れになるのね？「だから、ルイス……」彼女は突然やめた。それで全部。彼は自ら出て（彼女は立ったまま）、ホールの重いドアを閉め、出ると、街路が、木々と鉄製の手すりの上を雲は東に流れていて、束の間の明るい影をこぼしていた。彼は、彼女が言おうとしなかったことを聞いた。「だから、お願い、忘れて……」と。

その晩、ローレルはエドワードを慰労した。十分その目的は果たせなかったが。彼は彼女を通して苦悩し、彼女は自分の力のほどを知らなかった。彼は疲れ果てていた――どれだけ歩いたことやら？　彼はあちこちの街路や広場で思いをこらし、リージェント・ストリートの無人の角で思い出した。夜は彼に残酷で、彼はあまりにも無防備だった。彼女は、そのむずかしい夜、ホームレスだった彼を思うと耐えられなかった。「せめて私が一緒だったら――私でも誰でもよかったんだ。私は私でいる必要もなかったんだ」

「でも僕は眠ったよ、うん」

「エルフリーダのソファで？　あれはとても短いでしょ」

「どのベッドにも新聞紙が掛かっていたんだ。触ったら、カサッと言ってさ。それに二階にいるのも嫌だった。わかるだろう、あそこはいつも見知らぬ家だったような気がする。彼女の私物が散らかっていて、片づけてないんだね。それほど大事な物じゃないのかな、どう思う？　彼女はほとんどそこに住んでいないからね。今度こそ永久に出て行くように見えたがね。だから僕は客間にいたんだ」

「――そこに電話が――」しかし彼女は恥じ入ってしまい、彼の腕に顔を隠した。

「知ってるさ、受話器を見たよ」

「そう言うつもりはなかったの！　許して、もう決して――言わないわ、言いませんから、エドワード！　わからない、私がいますごく幸福なのが？　私たち、二度と――。それに私は聞かなかったのかもしれない。私も眠っていたの、そうなの、夜はもう……。どうしてエルフリーダを知らないのかしら？　彼女について私はひどい女だった。時には死んでほしいと思ったりして。知ってた？　生まれなければよかった人だ、とも思ったわ、あなただけはいてほしいけど。私はどうしてエルフリーダを知らないで来られたのかしら？　彼女は私たちのことを恋しく思っているとあなたは思う？」

「いいかい、ローレル――」

「あら、何か教えてくれるの？　私に話したいの？」

「知りたくないの？」

「あなたがまたここにいることは知ってるの」

彼らは話したが、客間の窓のそばの暑く長引く夕闇の中で、たいして話さなかった。ドアと窓がすべて開いていて、風が家の中を通り、家は上も下も静かで人が住んでいないようだった。彼は覚えていた、彼らの結婚式の日に、ローレルは彼に床の上に裏返ってちらかっていたトランプカードのおもてを引っくり返させなかった。彼はいまでもカードの裏の模様が目に見える。彼女は何も覚えていなかった。赦しを口にするのは不可能だった。何の意味もない、何も。幸福だわ、と彼女がまた言った。一度か二度、彼女は指か唇で彼を黙らせ、あるいは彼の腕の中で夕闇を彼らの周囲に引き寄せ、そうなると幸福の話をするまでもなかった。あわれみの問題さえそこにはなく、これがそれをはじき出した。それから彼女は体をそっと離し、優しさは離さずに、頭を窓枠に乗せて、家々の屋根がまたも夜陰に消えていくのを見守った。長い一日だった。彼女は眠りのことを思い、一人ぼっちの女が目を覚ましている百夜を思った、そばに彼はいても、彼のいない夜を。いまこの天井の高い部屋で、あるいは間もなく行くブルターニュの見知らぬ部屋で、海の音に囲まれて。

彼が言った。「もう遅いんじゃないか？」

彼らはただ耳を澄ませた。三つの時計が時を刻み、必ずしも一致しない三つの音に時は深まっていく。

「サイモンはカレンダーで一日ごとに日を消して、フランスに行くまでやるんだね。可愛いね。土曜日には出発だ！」

「あさってね」

「もう明日じゃないか？」

そのとおりだった。もうほとんど明日になっていた。その間ずっと、彼らは穏やかな流れに運ばれていた。あとはじっとしているだけだ、船を揺らさないで。

8

コランナ・ロッジでは、スタダート大佐の日々は注意深く間隔が置かれ、中間で戸惑わないようになっていた。ミセス・スタダートは、反対に、大きさや形にほとんど無神経だった。彼女が本来望む時刻より半時間は遅れるのが日常だった。彼女は言った、私は自分の娘になってしまったわ、と。ジャネットの機械で熱心にタイプして、お茶の前に犬の散歩でポストまで行き、車でチェルトナムに行った。夫妻は二人でテニスクラブで開かれたブリッジに行き、楽しくすごし、平穏な社交生活のあれこれを大いに楽しんでいた。たぶん庭が最近は、少し手抜きになっていた。彼女は坐骨神経痛が怖いので、一人で長くガーデニングをするのを大佐が好まなかったのだ。庭のポプラのうちの二本が、サイモンが生まれた年の嵐で倒されていた。日本スモモはハーマイオニが門柱の高さまで背が伸びた記念に植えた木で、大いに枝を張ったものの、屋根付き玄関のポーチには届かずに、ポーチそのものは二度の結婚式の年に塗り替えられていた。彼らは娘たちがいなくても寂しいとは思わなかったが、二人を名残り惜しんだ。ディナーのあと、アームチェアを暖炉の火の周りに置いて誰もいない部屋に背を向けると、板を膝に置いて彼女はペイシェンスをした。彼は探偵小説を一晩に一冊読んだ。彼がもし先に死んだら、彼女は孫のためにここに留まるだろう。もし彼女が先に死んだら、家は手放すだろう。一晩に一度か二度、大佐夫妻の目が合った。

彼らは義理の息子については運がよかった。ロドニーは金の心配を一切させなかった。その一方で、ミセス・スタダートはエドワードの世話を焼くことがいつもできるようにしていた。家族で互いに訪問するのに加えて、娘がそれぞれ、新しくできた絆を断ち切って、年に一度、コランナ・ロッジに未婚の娘のようにひとり戻ってきた。

通常、ジャネットは秋の初めにやってきた。ロドニーのこの大切な妻は、自分の土壌からそれほど簡単に根こそぎにはならなかった。彼女は、衣装ケースが二階に運ばれると同時に、バッツも一緒に持ち込んだ。鼈甲張りに金箔のブラシと鏡、金の栓が着いた化粧水のビン、写真はどれも折りたたみ式の写真立てに入っていて、ベッドわきにはもみ革《シャグリーン》張りの時計、ラグとクッションなしの旅を彼女は自らに許さなかった。すべてが張り出し窓がついた予備の部屋に整えられ、小ぶりな所帯がひとつでき上がった。旅程が不注意に企画されることはなかった。彼女の到着は彼らの愛情への重大な捧げものだった。お返しに、チェルトナムではいろいろな娯楽があり、両親は喜んで見守り、とても静かに生活している娘の訪問に歓喜した。だから彼らはディナーはほとんど出さないで、家から家へ彼女を連れ出し、コンサートや劇場に出かけた。彼女はまだ静かな距離感を残していたが——彼らはこれを十分に尊重できなかった——ほかの場所には愛着を持ったまま、コランナ・ロッジの生活に再び入ってきた。彼女は朝の間の改装について相談を受けた。たくさんの写真、逸話、思い出の品々が、彼女のために毎年出てきた。彼女は微笑み、考え込んだ。彼女は自分の刺繍枠を持ってきていて、午前中いっぱいウィンドウシート*1に、夜は暖炉のスツールに座り込んで、ハーマイオニ、アナ、サイモン、エドワード、愛しいウィラ、ヘン《クィア》なシオドラ、同情的なルイス、そして親切なミセス・ボウルズについて会話した。母親が話をリードし、ジャネットは同意できそうな意見は遠慮しないで口に出した。父親と一緒に歩いた——バッツでは、悲しいかな、と彼女は言った、歩き足りないと。彼女は北イタリアの観光地アラッシオに対してボルディゲーラを秤にかけ、いくら余裕があってもマデイラ*2への旅行の企画は歓迎できなかったことに同意した。スタダート大佐は、コンシダインはいったい自分で何をしたのかと訊いた。悲しいかな、彼女は答えた、ほとんど何も、と。「ここにも連中がいる」スタダート大佐が言った。「どの日も長すぎると思う連中が」

　ジャネットが結婚するとは思わなかったのを思い出すことは、スタダート家を驚かせた。彼女は生まれながらに結婚した娘だった。若い頃、彼らは憶えていた、彼女は——すごくいい子だったが——近づくことができない娘だった。彼女が何を考えているのか、誰にもわからなかった。いまもじつは、もう一人別の女がいるのだと、ミセス・スタダートが気づくことが度々あった。というか絶え間なくつきまとうこの相手に拘束された感じがして、彼女自身の娘であるジャネット、ロドニーの妻、ハーマイオニの母は、話し合うこともできない状態になっていた。他方、スタダート大佐も一度か二度見知らぬ人を感知していた。部屋の中でその女を驚かせたり、本から目を上げると彼女がいたり——暗闇だったり振り返ったりすると腕が明かりを横切ったり、人影が動いたり、ドレスが揺れたり。彼は溜息をつき、心が痛み、戸惑った。忘れられた何かが密かに動いた——美しい女だ。彼は妻に話した、いかにジャネットの器量が上がったかを。娘に代わって満足したものの、彼ら夫婦は娘にもっと広く輝いてもらいたくて、時には外交官のディナー・パーティを漠然と思い描いた。

ローレル・ティルニーの来訪は、さらなる面倒を引き起こした。彼女は昔の自分の部屋で寝たいということで、スタダート大佐の制服が入ったブリキのケースを全部そこから運び出さなくてはならなくなった。それでも、彼女はドレスを全部予備の部屋のベッドの上に出して広げ、そのために部屋を二つ占領する形になった。彼女はいつもより短い滞在とあって、あまり大袈裟でない荷物を持ってきていた。彼女の所帯は大きくなかったが、彼女の夫がうるさかった。そのうえ子供がいて、段取りしなければならない。彼らにはスイス人のメイドはもういないのだ。ローレルは子供たちをリージェント・パークの向こうに送り、ミセス・ボウルズの所に泊めてもらう予定だった。

花嫁道具だった銀のヘアブラシは、甲にいくつかへこみがあった。「これで」彼女は言った。「エドワードが私を叩いたみたい」ローレルは車を運転して、チェルトナムを穏やかならぬスピードで駆け抜け、犬をポストまで走らせた。チェルトナムは彼女にとってロンドンにつぐ都会だった。フレンチドアから出たり入ったりし、古いハンモックを吊り、思い出したように芝を刈った。「君の目はまだ歪んでるね」スタダート大佐が言った。彼女はよく彼と腕を組んだ。昔のように、彼女は顎の先を彼の肩に押しつけた。彼女は母としょっちゅうロンドンで会い、ジャネットよりも話すことは少なかったが、ある理由で話すことがもっとあった。話し始めると、終わらなかった。彼女は昔ながらの野放図な話手だった。彼女はいまも力強く握手した。それから階段を二段ずつ上がって二階へ行った。ミセス・スタダートが言った。「ロンドンではそうやって二階へ行くの?」「お母さま、ロンドンでどうやって階段を上がるかなんて、考えたこともないわ。次は気をつけようかな！」彼女はグラビア週刊誌から見た目のいい男性の写真を破り取っていた。彼らをどうするわけにも行かないので、エドワードに送った。

彼女の昔の部屋で、白く塗ったベッドは当然ながら非常に狭く見えた。夜も更けてから、一、二度ミセス・スタダートが覗くと、ローレルが横向きに丸くなって、電灯の笠がいつも天井に投げている貝殻の形をした影を見つめていた。こうしていると眠りに落ちることができるの。彼女に明かりは邪魔ではなかった。「可哀そうなエドワード、電気代がさぞかしたいへんでしょうね」ミセス・スタダートはそう言って、部屋をぐっと暗くした。暗闇の中で動きがあった、ローレルが両腕を突き出したのか、彼女は九歳の少女なのか。母は続けた。「アナは明かりを見つめるの？」

「アナが？」

そう、ローレルが何度も何度も里帰りするのは困った事態だった。家で子供が生まれたみたいだった。彼女は時計たちに感動していた。どれも正確ではないような時計に。彼女はそこにいて、輝き、二、三日間だけ五時に一枚の絵を見付ける太陽のようだった。季節につきものの事故……。彼女のために、内心彼らは我が身を責めた。彼女すら責めたかもしれない。彼女がこれほど若くして結婚しなかったら……もし金があったら……。こうか、ああか、と両親は、彼女に託していた落ち着かない楽しみを見捨てた。盗まれたように感じる、多少は名誉にかかわる楽しみを。彼らはローレルにいい結婚をさせた、適切で、形式にもかない、大テント《マーキー》を仕立てて。しかし彼らは、なぜか、彼女を結婚させたとは感じなかった。彼女は相変わらずだった。とはいっても、彼女はエドワードの私事だ。対話しながら、ミセス・スタダートはローレルの人生を話題にするのが適切だと繰り返し感じ、まだ仕上がっていない縫物のように、それを彼女の手に戻した。型紙を間違って置いたのか？　彼らの家は、訪問のたびに、モスリンの切れ端で散らかっているように見えた。彼らは彼女に子供たちについて尋ねた。だが不運にも、ローレルが自分の子供たちのことを話すと、彼女は理論的になり、不安になり、きもち強情になった。彼女は子供たちは面白くて可笑しいとは見ていなかった。彼女には逸話もなかった。ローレルが子供たちを話題にすると、両親を退屈させた。

ミセス・スタダートは、友達に内緒ごとを打ち明けたことは一度もなかったが、親友は持っていて、いつもいる親しい人で、存在しない人だった。一人のレディだ。一緒にいると理解されたと確信できた。完全な良い趣味がいきわたり、それを土台にして、何が述べられようと、言い過ぎにはならなかった。ウィラよりも抜け目のない誰か、ミセス・ボウルズよりも素早い誰か、チェルトナムの向こうが見える。事実、どこか崇高なミセス・スタダートは、皇族の王女のような感触があって、そのためにミセス・スタダートには、ハイライトを浴びて見られているという意識があり、上流の辺りに好感を呼び起こしている意識があった。この親友はミセス・スタダートの坐骨神経痛のこと、夜間に不安に襲われること、ブリッジでの間違い、本を読みながらスタダート大佐が歯ぎしりする癖について知らされていた。ディナーパーティで沈黙が起きると、彼女はミセス・スタダートの手を抑えた。彼女に説明され得ないことを認めることをミセス・スタダートは拒否し、表現され得ないことを彼女は見なかった。罪悪感はすべて共犯関係の感覚になった。彼女がもし宗教的な女だったら……？　彼女はときどきローマン・カトリックのことを考え、処女マリアならどうなさるか……。

ミセス・スタダートは秘密の親友に言った。「私たちはどちらもジャネットの訪問を愛しているし、それが一年の区切りになるわね。彼女がとても幸福で、安定しているのを見るのは喜びだわ。彼女はロドニーにとって計り知れない価値があり、望む限りの娘だわ（この家がなくなったら、ロドニーはもう気前よくしないでいいのよ）。少女の頃の彼女は、覚えてるでしょ、あまりラクじゃなかった。でもみんなが言うには、あの娘の結婚は母と娘を一緒に連れてくるって。たしかにいまは、絶対的な信頼感があるわ（ジャネットがそう言うのは期待できないけど、というか、デリケートなことじゃないから）。疑う余地はないでしょ、ねえ、彼女が満足しているのは？　あの素敵な屋敷、夏も冬もいつもあそこで。そして、息子でも……。

でもローレルは、私が死ぬことについて考えるのを不可能にしているの。どう段取りしたらいいか、わからなくて（ああ、彼女の訪問は楽しいわ、私たちは自分のいまを忘れて、おかげで若返るわ！）。でも彼女が、ほかの何かになれないかなと思うの、一人の女でなく――思いつかない？でも、もちろん、もう間に合わない――それでも私、すべてが決まったという感じがしないの。彼女はたしかに結婚しています。彼女がエドワードとダイムラーに乗り込んで、走り去ったのをこの目で見ました。二人はとても幸福で、一度も振り返らなかった。私には不安な日だった。『一巻の終わり』と私は自分に言ったわ、十一年前になる。でもそうだった？（彼女は見知らぬ人たちを虜《とりこ》にしていて、髪の毛の色も同じ『蜂蜜色』よ、私の夫が朝食のときにそう言った）。彼女はどうなったのか？　遠くに行ったことはない。この家が消えても――私にはわからない（あなたには私の心臓のトラブルを話したわね）。もしエドワードが万が一にも不親切なら……（彼は献身的よ。難しい男ほど献身的になることがある、と人は言うけど。私にはわからない。難しい男と暮らしたことがないから。あの二人は、ロンドンに生活があり、訪問したり……会ったり……）。私は彼女に代わって人生を担ぐことはできない！　私に整理できることが何かあるはずよ。私を間が抜けてると思うんでしょ！」

その九月、スタダート家はとても幸運だった。一度に二人の娘がやってきたのだ。ローレルがジャネットの訪問日程が終わる二日前に到着した。これはミセス・スタダートの考えだった。彼女はわかっていたのだ、ジャネットが直接ローレルからブルターニュの日々のことをまだ新鮮なうちに聞きたがっているのを。その二日間、屋敷はさんざめいた。ドアがあらゆる方角に開け放たれ、家族は会話と笑いで再構築された。

この幸福な最初の午後、スタダート大佐は腕に一人ずつ娘を伴ってチェルトナムを歩いた。遊歩《プロム》道《ナード》は栗の木が午後の光を受けて、葉の五本指を広げている。右からも左からも友達が彼らの至福に微笑み、帽子を持ち上げて挨拶を送った。彼の娘二人は微笑みながら左右に軽く一礼している。栗の木はいいときに花開いたものだ。葉が次々と散り落ちて、金色の日光に束の間踊る。春もこれほど陽気にはなれまい。空気にわずかに混じる冷気が、その日をいっそう輝かしくする。磨かれた車がカーブに沿って何台も白いラインとラインの間に止められて、それぞれ斜めに駐車している。誰もがチェルトナムにいた。風が出てきて、細かいにわか雨が降った。インペリアル・ホテルの柱廊の前には柳の木の長い枝々、一方を泉が流れ、そこがスタダート家の集合場所だった。

彼らは何の理由もなくチェルトナムに入った。スタダート大佐は、お茶でもどうかと言った。どの店の窓もその情景を映し、日光に磨かれて、ワントーン暗くなっている。そして立ち止まる三つの人影。観光シーズンはまだ終わっていない。通りでホーンが一声、出発の警告か、アメリカ人の訪問客が二人、ホテルの階段を急いで降りてくる、エドワードが結婚式の前に泊まったホテルの階段を。

＊1　窓を背にした長椅子のような造りの建具のこと。

＊2　リスボンから南西に約千キロ、大西洋上のポルトガル領の島。

訳者あとがき

エリザベス・ボウエンのこと

オリヴァー・クロムウェルとボウエン

エリザベス・ボウエン（1899-1973）は生年と没年に明らかだが、自らを「二十世紀と私は双生児の生まれだ」とある種の誇りをもって見ていた作家である。一九二三年に最初の短篇集*Encounters*を出版し、一九六九年には長篇小説『エヴァ・トラウト』（*Eva Trout or Changing Scenes*）を書き上げ、一九七五年、死後出版となったエッセイ集*Pictures and Conversations*には、*The Move-In*と題する長篇小説の一章が収録されている。二十世紀の主要な五十年を通して創作活動に献身した作家ボウエンの姿が偲ばれる。

第二次世界大戦中（1939-45）、様々な公務に忙殺され創作に集中できなかった間、ボウエンは一族三百年の年代記*Bowen's Court*（1942）を書き上げ、十五－十六世紀の頃にイングランド西端の地ウェールズに領地を持っていたボウエン家からこの長大な年代記を始めている。時は移り十七世紀半ばになると、英国イングランドは議会を無視した国王チャールズ一世（1600-49）の失政によって王党派と議会派に二分され、「内乱」（清教徒革命、1942-49）が勃発、一六四九年にはついに議会派の総大将オリヴァー・クロムウェル（1599-1658）によってチャールズ一世は処刑台で斬首された。

クロムウェルの「王殺し」に続くさらなる目的はカトリック教徒の国アイルランドを、プロテスタント国イングランドの全面的な支配下に置くことだった。ウェールズのボウエン家の息子ヘンリ・ボウエンは清教徒でもないのにクロムウェルの軍隊に入隊し、ボウエン大佐としてアイルランドに出征する。ほどなくヘンリはその果敢な戦功をクロムウェル本人に認められて、報奨としてアイルランド南部のコーク州はキルドラリに領地を与えられ、そこに定住することになった。その土地はアイリッシュのクシン家が代々所有していたものを残虐無比で鳴るクロムウェル軍が略奪したものにほかならず、クシン家は土地とともに戦死や虐殺で生命まで奪われた無数のアイリッシュたちの一例に過ぎない。クシン家には長女メアリがいたが、ヘンリ一世と彼女が出会ったとしても、プロテスタントとカトリックの両家・両者とあって、メアリとヘンリの結婚による両家の和解は万が一にもあり得ないことだった。

クロムウェルの侵攻以来、イングランドからアイルランドに移住したイギリス人を「アングロ－アイリッシュ」と呼び、以後三百年続いた彼らのアイルランドの支配体制を「アセンダンシー（Ascendancy）」と呼ぶ。ボウエン家は、開祖のヘンリ一世から数えてヘンリ三世が当主となっていた一七七五年に「ボウエンズ・コート」と称する城館の完成を見た。これがアングロ－アイリッシュがアイルランドの各地に建てたいわゆる「ビッグ・ハウス（Big House）」で、アセンダンシー文化を象徴する一方、支配者となったイングランドの自信と強権を誇示する建造物にほかならず、アイリッシュの反感は根深い復讐の念となってくすぶり続ける。

ボウエンの難解構文

アイリッシュの犠牲の上に成り立ったアングロ－アイリッシュとしてのボウエンは、犠牲者アイリッシュの感情をおもんばかることは恐ろしくてできないという自覚があり、「感じない、見ない作戦（the campaign of not feeling, not noticing）」を取って生きてきたと述懐している。また、「蓋を取らない（not to take the lid off）」ようにしてきたとするボウエンの言い分にも、乗り越えられない罪悪感と改悛の苦悩が籠められているのではないだろうか。これは彼女の深層心理となり、作品に内的な様々な陰翳を投げかけて文章が奥へ奥へと重なっていくのではないか。ボウエンの文章はいわゆるビッグワードが多用され、意味は同じなのに次のセンテンスでは違う単語が当てられ、訳語は区別せねばならず、省略や繰り返しが多用され、現在分詞や動名詞が錯綜し、頻発する仮定法過去完了形、そこに二重否定や三重否定まであって、実際に何が起きたのかが分からなくなる。

ボウエンの「構文法（syntax）」または「文体（style）」については、英国及び英語圏での読者をはじめ作家や批評家の間でも、賛否の別れる議論を生んできた。すでに名を成した作家だったボウエンは新たに出版社を大手のジョナサン・ケイプ社に移し、一九四二年に彼女がようやく小説 *The Heat of the Day* を書き始めたことを社主ケイプは歓迎したが、「彼女の構文法の奇妙さ」は、「彼女の文章の意味を理解するのにそうとうな時間を読者に強いる」と、その第一章を上げて抗議する編集者もいた。ボウエンは、散文は詩の役割も持つべきで、語順のおかしい文章は創作上自然に生まれたもので、散文も詩の属性である曖昧性と明暗度があるといいと考えていたようだ。手稿での推敲には限度があっただろうが、一九三〇年代半ばにはボウエンもタイプライターを使うようになり、

The Heat of the Day も草稿を数回書き直してようやく完成させている。

二度の世界大戦とその戦後に起きた破滅的な未曽有の変化は、社会の構造と人間の感性を必然的に変化に合わせ現代化していった。ヒロインの結婚かヒーローの死で終わる従来の小説は、新しい感性には通用しなくなった。ボウエンは従来にはなかった小説を書き、あえて難解構文で従来の読者を作り替えた作家と見る評論もある。英語圏内でも物議をかもした *The Heat of the Day* は、一九四九年二月に出版されると、初版で四千五百冊を売り上げ、ボウエンを英国文壇に位置付ける代表作となった。なおボウエンの小説十作と七十九篇の短篇を収めた短篇集は、現在すべてペーパーバックで、アマゾンでも新本ですぐ購入できる。

一九四九年にイングランドで出て評判となった *The Heat of the Day* でボウエンという作家を知り、この小説の翻訳にいち早く着手した吉田健一は、一九五二年には邦訳を終え、邦題を『日ざかり』として新潮社から出したものの、同年十二月号の『英語青年』（研究社）誌上で『日ざかり』を高く評価しながらも、その前後に発表されたボウエンが書いた小説は、とにかく「ややこしくて読むに堪えない」と突き放している。翻訳に手を焼いた上の本音が漏れたのだとしても、これはやはり作家としてのマナーに反する発言ではなかったか。ボウエンの難解構文は、ボウエンののちの世代の作家キングスリ・エイミスやペネロピ・ライヴリらの賞賛を得ている。アガサ・クリスティ（1890-1976）は以前に好きな作家にエリザベス・ボウエンを挙げており、自伝では、彼女のように書けたらどんなに嬉しいだろうと書いている（『アガサ・クリスティー自伝（上・下）』早川書房、一九八四年、下・二二四頁）。

中国文学者・翻訳家で朝日新聞の書評子だった井波律子（二〇二〇年逝去、黙禱）は、拙訳の

『パリの家』を「巧緻な新訳」として書評に取り上げ（二〇一四年十月十九日紙上）、ボウエンの「物語世界」の奥深い謎に迫っている。そして、「ボウエンの文体ははなはだ難解であり、実は、私は昔、英語の授業でボウエンの短篇をはじめて読んだとき、その複雑さに仰天しお手上げになったことがある。ボウエンの難解な構文を解きほぐし、その稀有の魅力にあふれた世界を開示した、訳者の並々ならぬ手腕に感嘆するばかりである」の一文で書評を結んでいる（井波律子『書物の愉しみ　井波律子書評集』（岩波書店、二〇一九年、四四二－四四頁）。

ボウエンと母のない子供たち

　エリザベス・ボウエンは一八九九年六月七日にアイルランドの首都ダブリンで生まれた。アイルランドに私邸「ボウエンズ・コート」がありながら、ボウエンがダブリンで生まれたのは、父ヘンリ（開祖から数えるとヘンリ六世）が、三百年続いた一家の歴史上初めて、アイルランドの地主という身分を離れて、ダブリンのトリニティ・コレジ（イングランドのオクスフォード大学に相当する）に学び、法廷弁護士《バリスター》（barrister）の資格を得ると、王立ダブリン協会に所属して執務に当たる必要からダブリンにも住まいを持っていたからだ。ボウエンはここで生まれたとはいえ、父の仕事がタームを終える五月末にはダブリンを発ってボウエンズ・コートに行き、夏の終わり九月末にはダブリンに帰るのが一家の慣例だった。

　その慣例が守られなくなったのはボウエンが七歳の時、父のヘンリが激務から「心気症」となり、安静する必要から妻と娘はアイルランドを離れることになったからだ。罵声を発して怒ったかと思うと黙り込んでしまう父の症状は、今なら「双極性障害」と診断される精神障害で、時には暴力をともなった。ボウエンと母にはその危険があり、ヘンリは妻と娘の存在でいっそう苛立つ。そのために医師団は家族の別居を提案せざるをえなかった。いきなり激高して怒鳴ったかと思うと、陰気に黙り込む父親、幼い娘は話していいのか黙ったほうがいいのか、判断が付かないまま口籠ることが多くなる。ボウエンは後年、これが自分の吃音の発症につながったかもしれないと言っている。母とともにイングランドに渡ったあと、ボウエンはハーバート・プレイス十五番地の生家に戻ることは二度となかった。

イングランドのケント州に暮らしていた母方の親戚は、アイルランドから逃げるように渡英してきたボウエン母娘を資金面や住居の面でできる限り援助したとはいえ、母娘が定住できる家はなく、二人はハイズをはじめケント州の海岸の町々を転々とした。ボウエンが十三歳の時、母フローレンスに末期の肺癌が見つかった。医者から六か月後にはあなたは天国にいるでしょうと告げられ、度重なる手術に疲れ果てた母は、喜びをもってその宣告を受け止めたとボウエンが記している。母と子の肉体的な近親感すなわち「私の頰に触れた母の頰」が永久に失われた。ボウエンは「母」という言葉さえ口にできず、父の発病がきっかけで発症した吃音症は、「マザー」と言うときは必死だったのだろう、「M」の音でとくに吃音が出たという。母親を失った寂漠感と喪失感によってボウエンの精神はある一面で崩壊し、それは生涯回復しなかった。ボウエンが死に至るまでほとんど母の死に言及しなかったことがそれを証明しているとは、ボウエンの遺言執行人だったカーティス・ブラウンの言である。ボウエンはその反面で、戦争や疫病や死別という経験は、人類の歴史に必ず伴う苦難であることを知っていたと思う。

ボウエンの小説や短篇に出てくる子供は多くが「母のない子 (a motherless child)」ではあっても、

大人の同情や親切心に頼らない子供である。他方、大人の会話におもねるように小賢しく口を出すことも一切ない。彼らの感受性は、大人たちのお座なりの「決まり文句」の慰めを受け付けない。他者や大人が想像する哀しみは彼らには無縁である。ボウエンが描く子供は、何一つ作者に代弁させず、読者の感傷をはねつけて、自らの喪失感や悲しみを内的に受け止めて、自らそれに対処している。未熟で無垢な子供はその目で外界を残らず見て心に収め、その一端を自分の言葉で表現する。「幸福」という言葉も自分の解釈で使い、相手の言う「幸福」が全く違っていることを察知する。察知しても追求しない。ボウエンが描く子供たちの言葉は、だから、語順が乱れたり、途切れたり、意味不明だったりしたまま、無邪気にまたつながっていく。そこには母のない子の言い知れぬ哀しみと癒されない痛みがにじんでいる。それを代表するのがボウエンの一九三五年の小説『パリの家』（*The House in Paris*）のヘンリエッタ十一歳とレオポルド九歳の対話であろう。

クロムウェルに繋がる積年の罪悪感と、母の喪失という二度とない絶対的な喪失感、この二つがボウエンの意識下に根を下ろし、その結果、その意識下の世界を言葉がどこまで表現できるか、読者の想像力をどこまで喚起できるか。ボウエンの文章は内的な陰翳を表象しようとして、無意識に独自な語彙に傾き、絶句し、言葉を失い、沈黙する。さらにボウエンは空や雨、薔薇の花や並木道、鏡や時計や暖炉にも言葉を与えてストーリーを目撃させる。ボウエンの文章の特徴はときに「目に訴える想像力（visual imagination）」である、と言われるのは、こうした手法のせいかもしれない。薔薇や鏡を「擬人化している」というだけでは片づけられないのがボウエンの文章である。二十世紀以降、世界は荒れ地と化して変形《デフォルメ》し、作家の手を離れ、読者の手を離れて、永遠に流動する。この動き続ける世界が自ら正しい語順や文法からかけ離れていくことを作家は実感したのではないだろうか。二十世紀に入ると、絵画の世界でも印象派が現われて対象物の境界線は光と影で曖昧になり、セザンヌに次いでピカソが現われると女の顔はデフォルメして歪み、ゲルニカは戦争で破壊されたモノクロの世界である。ボウエンに十年遅れて生まれたフランシス・ベーコン（1909-92）もまたアングロ－アイリッシュの画家で、彼の手にかかると法皇や女王の画像は原形をとどめないほどにデフォルメされ、孤独、不安、恐怖といった現代文明に冒《おか》された人間を表現していると見られている。二十一世紀の今、ベーコンは、入手した個人や美術館が金輪際手放さないので、もはや入手は困難になった画家だと言われている。アングロ－アイリッシュは稀有の優れた血統を芸術面で発揮したが、ボウエンとベーコンはその終焉を照らし永遠の相の下にある存在となったのかもしれない。

『友達と親戚』について

ある論考によると、一九三〇年代になってフィクションに繰り返し扱われたテーマは、地理的な場所の重要性、心理的にセクシャリティを取り上げること、そして同性愛問題への関心の高まりであったという。最初に挙がった「場所の重要性」は、ボウエンのことを指しているのではないか。「場所がなければ、何も起きない（Nothing can happen nowhere.）」は創作の秘密を明かすボウエンのフレーズである。タウンハウス、カントリーハウス、古い屋敷や教会や廃墟が彼女のインスピレーションの源泉だからだ。私はこれに交通手段の発展が及ぼした変化がもう一つのテーマになっていることを追加したい。バス、自動車、タクシー、飛行機を使って人々は国の内外に自由に移動するようになった。本書『友達と親戚』（*Friends and Relations*）はその新現象を取り入れて、場所と移動が人間関係にもたらす新たなドラマを描いている。

さて、セクシャリティといえば、当時同性愛を「実行する」ことは違法だった。それで思い出すのはアラン・テューリング（Alan Turing, 1912-54）の名前である。第二次世界大戦が始まった時、イギリスが何よりも必要としていた「天才」が、ケンブリッジ大学に籍を置く若き科学者テューリングであった。彼はドイツ軍の戦略暗号器エニグマを解読してナチスドイツの戦略を知り、後手に回っていたイギリス軍の戦略を有利に導き、第二次世界大戦の終息を一年以上早めた功績者だった。何百万という人命が世界中で死を免れた。私はボウエンの小説から第二次世界大戦下の一九四〇ー四一年、ドイツ空軍によるロンドン大空襲「ブリッツ（The Blitz）」のことを知り、書店で買った Neil Grant, *Illustrated History of 20th Century Conflict*（Hamlyn, 1992）の一九五頁にはエニグマが写真付きのコラムで解説され、その下には戦火を浴びてなお立っているセント・ポール大聖堂の写真がある。私は一九九四年からケンブリッジ大学に留学したのをきっかけに、その後二〇〇五年まで、「チェルトナム文学祭」（戦争が終わり、文化・文学を渇望する時代の要求に応えて一九四七年に創設された作家と読者が参加する「文学祭」で、『デイリー・テレグラフ』紙がスポンサーについている）に行き、行く先々でボウエン関連の本を買い漁り、ロンドンの王立戦争博物館に行って世界大戦を記録した書物も数々買い求めた。そのうちの一冊 Malcolm Brown, *Book of the SOMME*, 1996 は、第一次世界大戦の最激戦地ソンムの一九一六年を写真と共に記録して三七八ページのすべてが埋めつくされている。ソンム同様の激戦地アラスやパッシェンデールもそれぞれ個別の本になっている。

アラン・テューリングは戦後、同性愛者であることが発覚し、当時はその性癖は医学的に治療すれば矯正できるとされ、彼は治療を受けたが、一九五四年に青酸カリをあおって自殺した。二〇〇九年には英国政府が彼に公式に謝罪し、二〇一九年には彼の顔を新五十ポンド紙幣の肖像画に選定した。新五十ポンド紙幣は二〇二一年には一般に出回るそうだ。ちなみに二〇一七年にチャールズ・ダーウィンからジェイン・オースティンの肖像で新しくなった十ポンド紙幣は、奇特な友人からプレゼントされ、私の財布ではなくアルバムに収まっている。二十ポンド札はアダム・スミスから画家ウィリアム・ターナーに切り替っている。

先述した一九三〇年代のフィクションのテーマとなった現象のうち、ホモセクシャルやレズビアニズムは、当時も今も異なった意見に囲まれているが、『友達と親戚』は、結婚で終わるのではなく結婚でそれも二組の結婚で始まる小説で、何度も精読すると、結婚にまつわる性と愛（作中では〈パッション"passion"〉と表現され、「情欲、性愛」の婉曲語法になる一方、パッションは〈受難〉も意味する）および不倫（「姦通」は字が不公平だというので新造語「不倫」となったが、英語では昔も今もadulteryである）がテーマになっていることが分かる。ボウエン没後わずか四年でボウエンの伝記を書いたヴィクトリア・グレンディニングと、一九八〇年代にいち早くボウエンの真価を認めていたハーマイオニ・リーは、『友達と親戚』をマイナーな作品として紙数を割かずに著書を終えている。だが二十一世紀に入って続々と出版されるボウエン研究書では、『友達と親戚』が提示している結婚と愛という永遠の（未解決の）テーマの陰に、同性愛ないしはレズビアニズムに対するボウエンの姿勢が見えるとして、あらためて『友達と親戚』が詳しい考察の対象になっている。

ボウエンのその姿勢を託されたのが少女シオドラである。彼女は『友達と親戚』の冒頭にあるエドワードとローレルの結婚式に来ているサードマン夫妻の娘で、少女とは言えもう十五歳、これはまさに子供と大人の中間に来る「厄介な年齢（awkward age）」であって、ヘンリ・ジェイムズ（1847-1916）にはその名がタイトルになった小説があるほどだが、ボウエンのシオドラは「その不運な年齢のゆえに、あらゆることが許されていて、彼女の登場は誰の注意も引かない存在を余儀なくされる（本文二一頁）。眼鏡をかけた大柄な娘で、母親が選んだ「青いごわごわした大きな帽子」のせいで不細工に見え、つばが柔らかに垂れ下がる透き通った帽子をかぶったもう少し年上の少女とは格段に違っていた。誰にも相手にされないシオドラは、エドワードの母レディ・エルフリーダ・ティルニーがミセス・イディス・ドーブニーと交わす会話をじっと聞いて、ローレル・スタダートの妹ジャネットが今日の花婿エドワード・ティルニーを愛していることをその場で察知する。彼女の直感（intuition）が働いたのだ。しかし当然ながら「パッション」などまだ知らないシオドラはジャネットにただ心を惹かれ、彼女を探しに行く。彼女はいかつい体格で器量も悪いが、マチュアなとても甘美な声を持っていて、親が外出したフラットで一人、電話帳をじっと見て名のある人に偽名を使って電話する特技があった。レディ・ハンター・ジャーヴォアから電話を受け取った人は、夫（妻）の愛人かと疑う間もなく電話が切れる。シオドラはコメディエンヌでもある。「レディ」といい「ハンター」といい、なかなか手が混んだ偽名ではないか。

同性愛は昔からあったもので、二十世紀になって、ボウエンが作中の人物にも読ませているハヴロック・エリスやクラフトーエビングらの精神医学者の著書が出て、一般の人々の関心と知識が広くなったもの、ボウエンはシオドラを通して同性愛の問題をさりげなく伝統の風習喜劇に溶けこませているように思われる。

この小説の第二部は第一部から十年後に始まり、二十五歳になったシオドラは信用できる人達から「器量が上がった（handsome）」と言われているが、まだ独身で、友人のマリーズとは「中立的な（neutral）」関係にあって同性愛者には見えないままに、エドワードとローレルのティルニー夫妻とジャネットとロドニーのメガット夫妻が平穏に暮らし、両家共に可愛い子供まで生まれているのに業を煮やしたシオドラは、エドワードとジャネットの隠されてきた恋をエサにして、ローレルに手紙を書く。電話と手紙はボウエンが好む小道具で、とくに電話では受話器で話す台詞だけで相手の台詞を書かない電話シーンを得意とする。『友達と親戚』を読んだモード・エルマンは、シオドラの電話と手紙は警告なしに相手を急襲する「テロリズム」だとしてドラマを盛り上げている（Maud Ellmann, *Elizabeth Bowen, The Shadow Across the Page*, Edinburgh University Press, Edinburgh, 2003）。『友達と親戚』にはシオドラのほかに、年齢からみて本物の少女が二人いる。エドワードとローレルの子供はアナとサイモン、ジャネットとロドニーの娘はハーマイオニ、アナとハーマイオニが九歳の少女である。水曜日（第三部のタイトル）の朝、父のエドワードがおうちで朝食をとっていないのに気が付いたアナは心配でたまらなくなり、「お父さまはどこ？　ここで寝てないわよ」と母のローレルに訊く。次のアナの質問、「お父さまは逮捕されたの？」は、原文がイタリック体（本文二四八頁）で、これは交通違反か何かでロンドンで「逮捕された」のかというアナの一瞬の想像であって、父が母の妹のジャネットとの間に何かがあったなど、アナの意識にはないが、"arrested" という子供の無垢な言葉は波紋が幾重にも広がっていく。ジャネットの娘ハーマイオニは、夜中に起き出して、「私はどこにもいないという夢だった」と言う。父母の結婚はなかったかもしれない、または無効の結婚だったかもしれない。少女の delusive な直感がこんな夢を見せたのであろう。ローレルは「テロリスト」シオドラから来た手紙をジャネットに見せ、ジャネットはそれを声に出して読んだ後、四つに裂いて暖炉にくべる。だがアナは父が家で朝食を取らなかった水曜日の朝を忘れず、いずれ父と叔母のことを知り、父の母のレディ・エルフリーダ・ティルニーとコンシダイン・メガットの「情事」に行きつくだろう。ジョン・コーツが指摘しているのは、窓のステンドグラスのリンゴの木の両側に立つアダムとエヴァにジャネットの視線が向かい、この木が「エッサイの木（Jesse Tree）」（旧約聖書『サムエル記・上』十六章と『イザヤ書』十一章）の根から生まれて成長し、誰もが仰ぎ見る花を咲かせていることをジャネットが想起する場面である（John Coates, *Social Discontinuity in the Novels of Elizabeth Bowen, the Conservative Quest*, Lampeter, Wales, 1998）。ジャネットとローレルの結婚もこの木から伸びた一枝なのだ。エッサイはダビデの父であり、待望されたメシアは「エッサイの根」より芽生える「若枝」とされ、姦淫や背信があざなわれて、究極、ダビデの末に生まれたイエス・キリストを指す。『パリの家』で母親に拒否されたレオポルドに「若枝」のように生きろとさとすのは「魔女」と見られているマダム・フィッシャーである。ジョン・コーツはボウエンと聖書の関係を重視するボウエン研究者の一人である。

ここでもう一度シオドラに登場してもらう。彼女のフルネームはシオドラ・サードマン（Theodora Thirdman）であり、Thirdmanという名字が実在するのかどうか、グレアム・グリーン（1904-91）の有名な『第三の男』（*The Third Man*）は一九四九年の出版である。ボウエンが一九二三年に最初に出した短篇集*Encounters*には「第三者の影」（The Shadowy Third）という短篇があって、第三者への関心が早くからボウエンにあったことが分かる。ボウエンも親しくしていたG・グリーンの『第三の男』は、監督はキャロル・リード、オーソン・ウェルズとジョセフ・コットンとアリダ・ヴァリの名演とアントン・カラスのチターが奏でるメロディと幕切れのシーンで再現された第二次世界大戦直後の戦時スパイ・ドラマの傑作である（必見）。ボウエンの短篇の「第三者」とは比べられないと思うが、ボウエンの最初期の短篇「第三者の影」には第三者の存在のボウエンならではの恐怖と不気味さがすでに出ている。平凡な（と見える）男の二度目の妻が先妻（胎児とともに死亡）の影におびえるストーリーで、鍵が掛かっている引き出しがあるけど、中には何が入っているのと新妻（妊娠中）が訊くと、夫は何も入っていないよと答える。何も入っていない引き出しなら、なぜ鍵を掛けるのという質問には答えがない。本当は何が入っているのか、そんな引き出しはそうと う怖い。エルマンはボウエン研究でこの短篇に注目し、第三者の影、the shadowy third にボウエンがとり憑かれていると考え、ボウエンの恋人同士のカップルにはつねに第三者がいて、決して二人きりになれないという解釈を発展させている。『友達と親戚』ではシオドラ・サードマンが文字通りの第三者で、その意味で彼女は第三の性、レズビアンとか両性愛者として生きる登場人物となっていて、偏見や差別の影はどこにもない。ジャネットは姉の夫エドワードを愛する罪悪感から、姉のローレルと自分の間に、「生まれなかった（unborn）」シスターを空想し、そのグロテスクな姿を目の当たりにする。ボウエンの「ゴースト」もこの第三者の影に繋がる存在だと考えられる。なお、聖書ではモーセの十戒の第七戒に「姦淫してはならない」（『出エジプト』二十章十四節）とあり、「みだらな思いで他人の妻を見る者はだれでも、すでに心の中でその女を犯したのである」（『マタイによる福音書』五章二十八節）とあることはよく知られている。ジャネットとエドワードが出会う場面は極力省かれたまま、ボウエンは十年という空白の時間を置いている。

ジェイン・オースティン（1775-1817）が当時大流行していた絵空事に近いゴシック小説をからかうつもりで書いたのが、彼女が初めて書いた小説で、一八一七年に死後出版になった『ノーサンガー・アビー』（*Northanger Abbey*）である。タイトルと同名の旧修道院の当主「ティルニー」将軍は、十七歳のヒロイン、キャサリンがゴシック小説の残虐な主人公と決めつけて観察するが、実際は、「専制君主制（ティラニー）」の上に君臨する「暴君（タイラント）」ではなく、良識的なイギリス紳士であることが（残念ながら）判明し、「ノーサンガー・アビー」も秘密の扉があるようなゴシックの城ではなかった。だが、ジャネットとロドニー・メガットが住むバッツ・アビーは、十六世紀、六人の妻のうち二人を斬首した英国王ヘンリ八世（1491-1547）からコンシダイン・メガットの祖先が譲り受けたもの、そこには殺人、裏切り、秘密、沈黙、暗闇が当然あったであろう。『友達と親戚』は『ノーサンガー・アビー』が最後には平和な結婚で終わる手法の逆手を取って、結婚でしかも姉と妹の二組の結婚で始まる小説である。そして秘密の違法な男女関係が家系にあったことを前段として、今から主題が始まる小説なのかもしれない。『友達と親戚』はオースティンがからかった「ゴシック小説」をあらためて語りなおした現代版のゴシック小説なのかもしれない。

二〇二一年三月　池袋の自宅で自粛、猫のアビー（アビゲイル）とともに

太田良子

エリザベス・ボウエン

Elizabeth Bowen　1899-1973

300年続いたアングロ-アイリッシュの一族として、1899年アイルランド・ダブリンで生まれ、1973年ロンドンの病院で永眠した。二つの祖国を持ち、二度の世界戦争と戦後の廃墟を目撃し、10篇の小説と約100篇の短篇その他を遺した。ジェイムズ・ジョイスやヴァジニア・ウルフに並ぶ20世紀を代表する作家の一人。気配と示唆に富む文章は詩の曖昧性を意図したもの。最後の長篇『エヴァ・トラウト』はブッカー賞候補となった。近年のボウエン研究は、戦争と戦争スパイ、人間と性の解放、海外旅行熱と越境、同性愛とジェンダー問題等々、ボウエンの多面的なフィクション世界を明らかにしつつある。

太田良子

おおた・りょうこ

1939年東京生まれ、旧姓小山。東京女子大学卒、1962年受洗、1964年結婚、1971-75年夫と長女とともにロンドン在住。1979年東京女子大学大学院修了、1981年東洋英和女学院短期大学英文科に奉職。1994-95年ケンブリッジ大学訪問研究員、1998-2009年東洋英和女学院大学国際社会学部教授。東洋英和女学院大学名誉教授、日本文藝家協会会員、エリザベス・ボウエン研究会代表、日本基督教団目白教会会員。主な翻訳書にアンジェラ・カーター『ワイズ・チルドレン』(早川書房)、ルイ・ド・ベルニエール『コレリ大尉のマンドリン』(東京創元社)、E. ボウエン『エヴァ・トラウト』『リトル・ガールズ』『愛の世界』(国書刊行会)、『パリの家』『日ざかり』『心の死』(晶文社)他。

ボウエン・コレクション2

友達《ともだち》と親戚《しんせき》

2021年5月20日　初版第1刷発行

著者　エリザベス・ボウエン

訳者　太田良子

発行者　佐藤今朝夫

発行所　株式会社国書刊行会

〒174-0056 東京都板橋区志村 1-13-15

Tel.03-5970-7421　Fax.03-5970-7427

https://www.kokusho.co.jp

印刷・製本　中央精版印刷株式会社

装幀　山田英春

ISBN978-4-336-07103-3

落丁・乱丁本はお取り替えいたします。